NANCY HUSTON

PRODIGE

polyphonie

un endroit où aller
ACTES SUD / LEMÉAC

pour,
avec,
grâce à
Yves Angelo

Sans la musique, la vie serait une erreur.

NIETZSCHE

Je ne me plais pas. Oui.

SVIATOSLAV RICHTER

SOFIA

Ah je les sens d'ici, depuis ma fenêtre. Pas trop mal cette année, les roses de Larissa, et ses delphiniums. Elle essaie de bien faire. Elle s'applique toujours, ma fille.

Je l'entends qui s'applique au piano en ce moment. Toujours cette fugue de l'opus 106, d'une difficulté diabolique. Voilà plus d'un mois qu'elle la travaille et ça refuse encore de couler, de faire sens sous ses doigts... Eh non ! C'est pas ça. Elle n'y arrive pas. *Mais enfin, se dit-elle, ça n'est pas fait pour des doigts humains ?* Et de recommencer en poussant des soupirs de rage.

Oui je les connais par cœur, les tourments de Larissa.

LARA

En sueur déjà. En sueur encore. La sueur qui me picote le front, le dos. J'arrête. J'inscris férocement des doigtés sur la partition avec un crayon noir, tout en sachant que je ne m'y tiendrai pas, que je les transgresserai à la première occasion. Puis je me lance, m'élance à nouveau contre le mur de notes pour tenter de le transformer en vague. Echoue. Achoppe. Le mouvement qui s'arrête. La vérité, la beauté qui s'arrêtent.

Jamais je n'y aurai droit.

SOFIA

Jamais je n'y aurai droit, se dit-elle. Je sais ce qu'elle se dit, ma dotchenka. *Le piano,* se dit-elle, *est à la fois ce qui me permet et ce qui m'empêche de m'exprimer.* Ah ! Si seulement elle songeait à exprimer Beethoven au lieu d'elle-même !

Elle a tout le corps crispé. C'est mauvais, très mauvais pour l'enfant. Je la connais, elle se sent coupable. Eh bien c'est simple, elle n'aurait jamais dû renier Dieu. Ils s'estiment tellement malins, les athées ! Au moins quand on croit en Dieu on a une bonne grosse raison pour se sentir coupable et voilà, on ne se tracasse plus.

LARA

Inspirer à fond. Expirer en comptant jusqu'à neuf, comme dans mes cours de yoga pour préparer l'accouchement. M'efforcer à la patience et au calme. Desserrer les mâchoires. Détendre les muscles des mollets. Respirer. Recommencer. Bon, on y va…

SOFIA

On sonne à la porte. Ouf ! Le devoir. Elle n'a plus le choix maintenant, il *faut* qu'elle cesse de travailler cette fugue, il *faut* donner sa leçon au rouquin, son meilleur élève, oui, trois heures, ponctuel comme toujours, avec sa maman comme toujours… Depuis ma fenêtre, je les vois debout sur le perron.

Larissa vient leur ouvrir la porte. Grand sourire, j'en suis sûre, comme si de rien n'était. Elle sait qu'elle est belle, ma fille, c'est déjà ça. Très belle, même. Les autres la trouvent rayonnante. La beauté d'une fille de dix-huit ans peut faire peur, mais une belle femme souriante dans la plénitude de la trentaine, ça vous rassure, ça vous fait du bien.

"Sublimes, vos roses ! Elles embaument tout le quartier !

— Oui, dit ma fille, celles de septembre sentent plus fort que celles du plein été…"

Assise à ma fenêtre ouverte, j'écoute leur petit échange, j'épie tout ce qui se passe. Sans honte, sans même prendre la peine de me cacher. C'est bien pour ça, la vieillesse. On est là, les autres s'en fichent, on compte pour des prunes, voilà. La vie me convient, comme elle vient.

"Oh ! madame Mestral, je dois vous demander pardon, je voulais absolument assister à votre récital mardi dernier, j'ai vu les affiches et je l'ai même inscrit sur le calendrier, mais… vous savez ce que c'est, la rentrée scolaire, on est tellement débordé, ça m'est sorti de la tête…

— Ne vous en faites pas…

— J'espère que ça s'est bien passé ? Vous accompagniez une mezzo-soprano … des *lieder* de Schumann, je crois ?

— De Schubert… oui, c’est ça…”

Elle laisse passer ça. Elle fait comme si ce n’était pas bien grave, des gens qui confondent Schumann et Schubert…

LARA

Alexis – raide, droit, étroit, muet, les yeux baissés derrière ses épaisses lunettes de myope – me contourne maladroitement pour se diriger vers le piano. Il préfère laisser papoter les dames sur le perron. Je le comprends. Ne veut pas subir ces effusions, ces effluves de féminité. Commence sa mise en doigts : gammes et arpèges, majeur et mineur, vite, fort. Etonnant, le contraste entre son assurance au clavier et ses manières timides, presque introverties, dans la vie.

“Alors… me susurre maintenant sa mère sur un détestable ton de complicité, vous avez passé un bon été, vous êtes en forme, tout se passe bien ?

— Oui ça va, je vous remercie.

— Vous en êtes… ?

— A cinq mois et demi, bientôt six.

— Encore un petit trimestre à tenir.

— Eh oui.

— Ce n'est pas pour vous décourager, mais… le plus dur reste à faire.

— Oh ! ça, je m'en rends bien compte !"

Je ris aux éclats pour l'inciter à se taire. C'est choquant, les intimités brutales que les déjà-mères se permettent avec les pas-encore-mères. Cette irruption du corps, du sexe et de la mortalité dans les conversations les plus futiles. Savoir que Robert et moi avons fait l'amour il y a six mois. Savoir que, sous peu, mon corps sera une grosse et lourde machine, cruel bulldozer qui s'emballera et échappera à mon contrôle, affolé par la douleur… De quel droit me dit-elle que le plus dur reste à faire ? Comme si je ne le savais pas…

Et *pourquoi, à moi, tout m'est-il toujours si dur ?*

SOFIA

Elles font tant d'histoires pour accoucher, les Françaises. C'est une honte comme elles sont douillettes. Nous, on mordait la ceinture et voilà, on ne passait pas des mois à se préparer avant et d'autres mois à récupérer après. Des séances de gym remboursées par le gouvernement ! C'est parfaitement ridicule…

Des petites natures les Françaises, c'est tout ce que je peux dire.

Elle sourit encore à la dame, Larissa, j'en suis sûre. Elle lui fait signe de la main et la regarde s'éloigner sur le petit chemin de pierre, attend qu'elle ait refermé la grille du jardin, avant de rentrer dans la maison.

L'élève s'acharne toujours sur ses gammes et ses arpèges. Ah il est doué, ça ne fait pas de doute. Quand Lara referme la porte il s'interrompt et attend en silence. Professeur et élève n'échangent pas un mot. Lara s'installe dans le fauteuil où elle se tient toujours pendant les leçons, à gauche de son élève et un peu derrière. Elle hoche la tête, et le rouquin commence.

Chopin, l'*Etude n° 8*. Eh bien ! Quelle allure ! Ça s'entend qu'il l'a travaillée pendant l'été !

Au début de la leçon, Lara laisse toujours ses élèves jouer leur morceau en entier, sans rien dire. Elle tourne même les pages pour eux, comme s'il s'agissait d'un vrai concert. Absurde, cette pédagogie moderne. D'après elle, c'est une question de respect. D'après moi c'est du laxisme. Je ne vois pas à quoi ça sert de les flatter. C'est mauvais, très mauvais. Pour eux, pour la musique.

LARA

Il joue beaucoup trop vite.

Si difficile à faire comprendre, ça : qu'il y a un tempo juste, et un seul, et qu'il s'agit de s'y couler. Tout le reste est faux... Dans *L'Homme à la caméra*, Vertov nous montre une série d'images immobiles – visage de vieille femme pauvre vociférant contre son sort, visage de petite fille éberluée par un tour de magie –, des clichés, des photos en quelque sorte... puis il se met à enchaîner ces images les unes aux autres, il les fait se succéder à raison de vingt-quatre par seconde – et d'un seul coup *ça fait sens*, c'est la vie, la vérité, la nature même ; les visages s'animent, nous touchent, deviennent proches et émouvants. Le film est muet mais on croit entendre la vieille femme se lamenter, la fillette pousser un petit cri d'émerveillement... Mais ensuite Vertov accélère encore le défilement des images et le sens s'évanouit : les gens se précipitent et gesticulent avec des mouvements saccadés ; ce sont des robots, des machines, ça peut être cocasse ou monstrueux mais ce n'est plus humain, l'humanité est absente, la vérité est absente...

Pareil pour la musique. Bien sûr que le tempo est un artifice – comme le piano lui-même, et la musique de Chopin, et l'art en général. N'empêche que là, les quatre-vingt-huit blanches à la minute qu'exige Chopin sont *vraies*. Aussi incontournables que les vingt-quatre images par seconde.

Oh ? brusquement, je cesse d'écouter. Les notes continuent de voltiger dans l'air, brûlantes et fugaces, pour personne.

ALEXIS

D'abord je ne me suis aperçu de rien. Mais alors, j'arrive au milieu d'une page de droite, mes mains sont requises à chaque instant, sans répit, et Mme Mestral ne se lève pas comme elle le fait toujours pour s'apprêter à tourner la page, ça commence à m'inquiéter parce que je vais bientôt arriver en bas de la page et je ne connais pas la suite, je ne l'ai pas par cœur ce morceau et m'arrêter serait-ce une demi-seconde couperait la phrase en son milieu, la mutilerait, ce serait un sacrilège, un crime contre la musique, je commence à m'agiter sur le banc et Mme Mestral réagit enfin, elle bondit de sa chaise et tourne la page, juste juste à temps…

LARA

Ce qui se passe alors est inouï. Impossible, et pourtant. Surprise totale et silencieuse, ce torrent. Afflux chaud, douche d'intériorité qui inonde soudain mes jambes et le tapis sous moi, éclaboussant les pédales du piano et les pieds de mon élève. Une surprise une jouissance une surprise. Tiède pour moi, merveilleuse. Oui comme une jouissance, totale, inattendue. Ça ne dure que deux ou trois secondes. Je ne comprends pas. Je n'ai jamais rien senti de semblable. Ou alors si – il y a des décennies de cela – toute petite fille soudain inondée de chaud dans mon lit, heureuse, étonnée, avant que l'âcre odeur ne me parvienne aux narines, avant que le chaud ne se transforme en froid… Alexis a dû avoir une association semblable car, tout en s'accrochant obstinément aux fabuleux arpèges de Chopin, il rougit jusqu'aux oreilles. Visage cramoisi : non, pourpre.

ALEXIS

Mme Mestral aurait-elle… aurait-elle… ? C'est trop dingue, c'est inimaginable, il ne s'est rien passé du tout –

LARA

Intense douleur maintenant, à la place de la surprise chaude. Déroutée et éperdue, je me fige… fausse couche ? mort de l'enfant ? oh Dieu, oh mon Dieu non, pas ça, pas ça maintenant…

"Mamotchka !" je m'écrie.

ALEXIS

C'en est trop. J'ai les mains qui tremblent, je ne comprends rien, je voudrais être ailleurs, je m'en vais je suis déjà parti. Loin. Non je suis toujours là. Comment faire pour me lever. Que faire. Je n'ose même pas la regarder, je ne veux même pas essayer de deviner ce qui se passe. Jamais connu pire incertitude. Paralysie totale. Joues, cuir chevelu, toute la tête en feu. Il faut bien que la situation se transforme d'une manière ou d'une autre.

A l'étage au-dessus, le bruit d'une porte qui s'ouvre, le bruit de pas dans le couloir, puis dans l'escalier. C'est la mère de Mme Mestral. Je l'ai déjà vue, elle circule dans cette maison comme un fantôme : petite vieille toute ronde, tassée, trapue, ridée, légère sur ses pieds. Elle a un chignon gris à moitié défait, les yeux bleus vifs et perçants. D'après maman elle est russe et parle le français avec un fort accent.

Perchée au bord de son fauteuil, Mme Mestral lève les yeux vers sa mère d'un air suppliant… La vieille hoche la tête et va jusqu'au téléphone, oui ce que je n'ai pas compris elle l'a compris, puisqu'elle murmure dans le combiné quelques mots que je ne saisis pas, puis raccroche. Se retourne vers moi et me regarde de ses yeux bleus rieurs. Ils sont très très bleus. Jamais vu des yeux aussi bleus.

"Va, mon enfant. Tu peux rentrer chez toi. C'est tout pour aujourd'hui. Chopin il va attendre un petit peu."

SOFIA

Chopin peut attendre. Les roses et les delphiniums aussi. C'est une question de vie et de mort.

Ah, ça y est, le vieil hibou de la maison d'à côté passe la tête par la fenêtre pour nous espionner. Le salaud ! Maintenant il en profite pour se plaindre du bruit de l'ambulance. Qu'il crève ! C'est des vieux comme lui qui donnent une mauvaise réputation aux vieux…

ROBERT

Regardez-la maintenant ma belle épouse, jeune femme d'ordinaire civilisée, habillée, coiffée, chaussée, protégée par une culture, une éducation, une histoire, l'Europe, l'Occident, ainsi de suite, le piano… la voilà nue et horizontale sous une blouse blanche flottante, et ce qui se passe à l'intérieur de son corps est projeté sur des écrans en dessins erratiques et en images clignotantes ; tous ses rythmes les plus intimes, sang, cœur, entrailles, se muent en signaux électroniques qui disent : *danger*.

Parce que, parce que, un autre être cherche à devenir.

Les personnes verticales s'agitent, s'angoissent. Moi je suis vertical par exemple, moi le peut-être père peut-être pas, ça dépend, affolé, arraché à un colloque universitaire où je devais faire une intervention sur l'instinct grégaire des souris blanches… Et puis Sofia la peut-être grand-mère : verticale, oui, quoiqu'un peu courbée. Pour ne rien dire des médecins et des infirmières : êtres pensants et verticaux, singuliers, touchants, avec chacun son histoire, ses talents, ses penchants, ses névroses, mais de ça tout le monde s'en fout pour le moment, c'est une question de vie et de mort. L'émotion pure et forte, trop forte, est prise en charge par des mots et des gestes scientifiques, professionnels, maîtrisés.

Du blanc partout. Murs, plafonds, draps, blouses, masques, bonnets, gants, pantoufles : tout est blanc et stérile. Curieux comme les expériences limites se déroulent si souvent dans la blancheur. Naissance, mort et folie… états extrêmes où se franchit la frontière entre l'être et le néant. Grands mots, grandes choses. Silence et cris, râles, pleurs. L'en-deçà, l'au-delà du langage : vécus chaque fois dans ce blanc, cette matité, cet étouffement.

"Risque pour l'enfant", dit maintenant le docteur Fabien.

"Césarienne", dit le docteur Fabien, deux minutes plus tard.

Voilà quelques-uns des mots qu'il prononce. Je le regarde, nos yeux se rencontrent par-dessus nos masques blancs. Puis je regarde ma femme Lara, qui n'arrive pas à savoir si elle souffre davantage pour elle-même (la douleur) ou pour son enfant (la peur). La lutte entre les deux souffrances doit rendre son cerveau passablement chaotique. Elle a horreur de se sentir si désemparée, impuissante, à la merci des autres. Surtout devant sa stoïque de maman. Sofia, par bonheur, comprend et s'éloigne. "Je vais m'asseoir un moment dans le couloir, dit-elle à l'infirmière. Je tiens plus sur mes pieds, ajoute-t-elle. Ils sont vieux, mes pieds." Des pattes-d'oie apparaissent au coin des yeux de l'infirmière, elle doit sourire sous son masque.

Ça va vite. Soudain Lara ne souffre plus. Elle est là mais son ventre n'est plus là, je lui tiens la main, lui serre la main, lui embrasse le front, lui éponge le front, lui souffle sur le front, les muscles de son bas-ventre sont en train d'être sectionnés et c'est important de ne pas regarder ça, de se regarder l'un l'autre au contraire pendant que ça se passe, au fond des yeux, je t'aime, Lara, tu te rends compte, on est déjà un vieux couple, Robert et Lara, Lara et Robert, tous les faits de notre vie commune brusquement rassemblés, tus, fondus en ce seul regard, oui la soirée extatique de notre rencontre quand je t'ai vue à l'opéra, ton dos, ton dos nu au piano mon amour, je n'ai pas entendu une note de ce que tu jouais, je n'arrivais pas à détacher les yeux de tes omoplates, et ensuite, peu à peu, dans les mois qui ont suivi, j'ai appris ta fragilité, cette plainte perpétuelle sous la surface, que tu ne t'aimais pas, que la musique ne te rendait pas heureuse, et j'ai eu envie de t'aimer pour deux, pour moi et pour toi, et je me rappelle comme tu étais resplendissante Lara, le jour de notre mariage, je me rappelle nos séjours à l'étranger, nos petits déjeuners, nos querelles, nos accouplements… Et l'arrivée inopinée de Sofia dans la maison il y a cinq ans, pour raisons de santé – et là, enfin, après dix ans de mariage et trois fausses couches, cet espoir inattendu, énorme…

"Comment s'appelle-t-elle ?" La voix du docteur Fabien est grave mais pleine de bonté.

Je te regarde, Lara, et tu me regardes. On n'y avait pas réfléchi. Ni noms de garçon ni noms de fille. Pas de nom. A cinq mois et demi c'était trop tôt, peut-être. Par superstition, pas de nom.

Elle a déjà quitté la pièce, notre fille. On a eu à peine le temps de l'apercevoir que les infirmières l'emmenaient déjà. C'est ça ? c'est ça notre enfant, Lara ? Mon Dieu… n'est-ce pas plutôt… un moineau…

Le docteur Fabien revient et annonce : "Elle pèse sept cent vingt grammes."

Je l'entends prononcer ces mots, et puis les mots suivants :

"On va faire notre possible pour la sauver… mais il vaut mieux vous préparer."

Il est calme en disant cela. Il ne prend pas un air dramatique. Il est presque froid, et sa froideur me fait du bien, me rassure. Les mots continuent de sortir de sa bouche.

"Pas de pronostic pour l'instant, dit-il. Avant les soixante-douze heures, tout est trop aléatoire."

LARA

Vis, ma petite ! Sois forte, vis !

Tu es presque invisible dans ta bulle de verre. Petite fée prise dans une énorme goutte de pluie. Je me penche sur toi, très près, pour te scruter…

Tu as la bouche entrouverte sur une sonde. Je n'ai pas encore le droit de te nourrir – mais je te nourrirai, tu verras, je te gaverai de nourritures, terrestres et célestes ! Pour l'instant tu es nourrie par un cathéter passé dans ton ombilic. Scotchées à ta poitrine, de froides électrodes en forme d'araignées suivent attentivement les battements de ton cœur. Quand les infirmières approchent de la couveuse, c'est pour te faire des piqûres au talon ou pour chercher sur ton cuir chevelu une veine où accrocher une perfusion. Le monde n'arrête pas de t'agresser. Seringues, tubes, aiguilles te pénètrent, traversent ta peau, sondent tes orifices – et tu pleures, tu pleures silencieusement, ton visage se plisse et se contorsionne dans la mimique des larmes mais on n'entend rien, car la sonde d'intubation passe entre tes cordes vocales et empêche le son de sortir…

Accrochée à la vie par un fil incroyablement ténu, tu flottes dans les limbes entre ce monde-ci et l'autre – et je t'aime, ma grande prématurée ! Je t'aime et je te sauverai ! Tu verras. Je t'ai donné la vie, je ne permettrai pas qu'on te la reprenne.

Vis ! toi qui n'as pas de nom.

ROBERT

Je rentre à la maison avec Sofia. Content que ma belle-mère soit là, à mes côtés, dans la voiture, solide, elle-même. Quelle que soit l'issue de cette crise, Sofia saura la traverser. Elle est résignée de façon générale et définitive, mais avec humour. Elle en a vu d'autres, et d'autres encore, avant de quitter sa Russie natale dans les années cinquante, pendant la tournée européenne de Sergueï son violoniste de mari. Elle l'a plaqué dès leur arrivée en France, sans savoir qu'elle attendait un enfant de lui – une enfant plutôt, Lara, la femme que j'aime.

"Vous savez", me dit Sofia une fois à la cuisine, tout en me préparant un thé russe avec une rasade de whisky comme elle sait que j'apprécie, comme elle sait que j'en ai besoin, moi pas très sûr de moi, pas très reluisant, passablement remué par la vue de ce moineau qui est censé être mon enfant, notre enfant, ce bout de… bref… "Vous savez, me dit-elle, chez nous on dit que les vignes les plus… les plus vigoureuses (elle roule le *r*, prononce *vigourouz*), c'est les vignes plantées dans la terre avec beaucoup de pierres. Oui. Parce qu'elles ont besoin de lutter pour pousser des racines. Comme ça elles sont plus fortes. Vous inquiétez pas ! Elle va être forte, votre fille, et même plus forte que les autres. Pas seulement elle va vivre, elle va aller loin. Vous verrez."

J'ai bien aimé cette image des vignes…

Ensuite elle est allée jouer quelque chose au piano. Des petites danses, du Tchaïkovski peut-être. C'est rare maintenant qu'elle se mette au clavier mais d'après Lara c'était autrefois une pianiste remarquable. A Moscou, dans sa jeunesse. Ça m'a fait du bien, ses petites pièces. Presque comme des danses pour enfants. J'ai continué de siroter mon thé au whisky, puis je m'en suis servi un deuxième, sans thé cette fois.

A l'hôpital le lendemain, Lara me révèle le prénom qu'elle a choisi pour notre fille. Ce sera Maya. Je ne dis rien. L'important… je veux dire… à quoi bon avoir un prénom, si…

Et le docteur Fabien vient nous parler. Toujours cette manière calme et ferme dont je lui sais gré : il énonce des faits.

Lara a les yeux qui brillent, je lui tiens la main et chaque mot du médecin s'imprime en nous.

“Les appareils, dit-il… Les appareils vont maintenir votre petite fille dans l'entre-deux de vivre et de mourir. Dans quelques jours, madame, vous rentrerez à la maison et ensuite, quand votre propre état le permettra, vous reviendrez la voir ici. Pendant plusieurs mois, au moins jusqu'à ce qu'elle arrive à terme, vous ne la verrez qu'en milieu stérile, accrochée aux machines. Mais il faut pendant ce temps qu'elle sente votre souffle de vie au plus profond de son être. Vous pouvez nous aider, c'est important. Donnez-lui la force et le désir de rester, de ne pas s'abandonner."

Voilà ce qu'il dit, le docteur Fabien. Puis il quitte la pièce. Avec Lara on se regarde et je vois que ses yeux brillent très fort. Non, non, pas de larmes. Elle n'est pas en train de pleurer.

LARA

Mon oiseau, mon oisillon, mon oiselet, ô ma minuscule, ma presque invisible, mes sept cent vingt grammes palpitants… Regarde ! ton oreille est plus menue que l'ongle de mon pouce ! Un seul de mes seins est plus grand que toi toute ! Je te vois, œuvre d'art, œuvre d'artifice.

Elle est loin, la nature… les fleurs, les arbres, le soleil… Rien de tel ici. Entourée d'acier et de plexiglas, tu gis immobile sous les tubes de néon dans une lumière bleu et blanc spectaculaire, lumière d'aquarium ou de théâtre, un masque blanc sur les yeux, des tubes partout, un clignotant rouge au talon… Ma petite extraterrestre…

Nous sommes heureuses n'est-ce pas ? Oui ! heureuses !

Je te regarde et tu ne me vois pas, tu es occupée à des choses plus importantes.

Respirer, par exemple. Sniffer l'oxygène. Cette machine-maman vient sur toi, petite, pieuvre glacée elle s'agrippe à tes narines et souffle bruyamment de l'air dans ta poitrine car tes poumons ne sont pas encore terminés, tu n'as pas appris à respirer et la machine doit le faire à ta place…

Vis ! Maya d'amour.

ROBERT

Je l'aimais, Lara, plus fort que jamais dans cette passion dont elle témoignait pour notre fille en danger. En raison de mon travail, je ne pouvais aller à l'hôpital que le week-end, mais elle y venait chaque matin et restait jusqu'au soir. Assise près de l'incubateur, espèce de navire miniature en plexiglas, elle ouvrait les hublots et passait les mains à l'intérieur, caressant doucement notre fille et lui parlant, lui parlant des heures d'affilée. Ça me bouleversait. Tout au long de cette période, mon amour pour Lara était comme… surexposé, porté à un degré d'incandescence qui me faisait peur.

Je n'étais pas à la hauteur… voilà ce que je pense maintenant.

Un jour, un samedi, je suis arrivé à l'hôpital vers cinq heures du soir et j'ai trouvé Lara abattue, découragée, lasse au-delà des mots. Notre enfant était inerte. Depuis une semaine, son poids n'avait augmenté que de dix grammes, ses poumons n'avaient toujours pas pris le relais de la machine – et elle était encore bien loin de pouvoir téter et déglutir. Qu'elle sorte un jour de l'hôpital, qu'elle revienne à la maison, qu'elle dorme dans la chambre qu'on avait préparée pour elle…, tout cela nous paraissait hautement improbable. Les séances de peau à peau avaient dû être ramenées à quelques minutes par jour parce que, dès que Maya quittait la couveuse, sa température chutait, et au lieu de garder ses précieuses calories pour se fabriquer un peu de graisse, elle les dilapidait pour se réchauffer… Les infirmières venaient de la recouvrir d'une feuille de plastique à bulles, pour que la chaleur dégagée par son corps lui revienne dessus au lieu de s'évaporer, comme dans une cocotte Doufeu.

Lara n'en pouvait plus, me disait-elle au bord des larmes, de porter la responsabilité de cette survie. (Ah oui, ce beau mot de *survie*. Notre fille ne se contentera pas de vivre, disions-nous : elle *sur*vivra ! Je me souviens de cette trouvaille, comme ça nous a fait du bien de rire ensemble, et comme ça m'a fait mal, après, de m'en souvenir...)

Ce jour-là, donc, Lara était sur le point de craquer. Et c'est moi qui lui ai dit que non, que Maya ne devait pas l'entendre désespérer ainsi.

Comme si Maya pouvait l'entendre ! comme si elle pouvait comprendre quoi que ce soit aux problèmes de sa mère, dans l'état où elle était ! Grande comme un poing, et fermée comme un poing. Mais cette phrase de moi, une phrase machinale d'encouragement, a produit sur Lara l'effet d'une décharge. Elle s'est jetée sur cette idée : que tout ce qu'elle disait pouvait toucher, influencer l'enfant...

C'est à partir de là que les choses ont changé.

LARA

Ma mère m'envoyait à l'autre bout de la maison, tu sais, loin d'elle, le plus loin possible. Puis elle jouait une note. Si je l'identifiais correctement, j'avais le droit de faire un pas en avant. Mais si j'avais faux, il fallait reculer, tu te rends compte Maya ? Je mettais *une heure* parfois à arriver jusqu'à ma mère, jusqu'au piano où elle se tenait ! Oh je n'avais pas l'oreille absolue mais toi Maya ton oreille est absolue, regarde, c'est l'évidence, et ton menton aussi, absolument absolu… et ton nez – malgré la sonde qui t'obstrue en ce moment les narines et te descend par la trachée jusqu'à l'estomac – c'est un nez absolu.

C'est moi qui te formerai dans un premier temps – mais gentiment, gentiment, ce n'est qu'un jeu, ce n'est que le bonheur, je t'apprendrai tout ce que je sais et tout ce que je ne sais pas au sujet de la musique, les quatre-vingt-huit notes du clavier et puis les cent millions de constellations dans l'univers, chaque note une étoile et toi aussi, étoile ma petite étoile, et tu *joueras*, n'est-ce pas ? Toi tu joueras, tu sauras ce que jouer veut dire – oui, comme un enfant, comme un jeu, comme la chose la plus simple et la plus naturelle du monde, tu seras une vraie musicienne Maya parce que voilà, je te donnerai cela, j'ai le pouvoir de tout te donner, vie, musique, rire, joie, soleil, pluie… *Regarde ! Ecoute !* Mais oui ma petite, il pleut ! mais oui, il fait soleil ! De minuscules gouttelettes s'accrochent au bord des feuilles et tremblotent, irisées, chacune habitée d'un immense arc-en-ciel !

ROBERT

Quelques jours plus tard, elle avait trouvé l'idée d'une histoire à raconter à Maya : l'histoire de sa vie future. Elle lui parlait inlassablement du piano, et de comment elle allait l'initier à la musique. Elle n'arrêtait pas de parler, de chantonner, de caresser, de fredonner… acquérant peu à peu la certitude que sa minuscule Maya deviendrait une immense pianiste.

Moi ça me foutait la trouille.

Lara, ma Lara – méconnaissable. Obsédée, obnubilée par cette sorte de mission qu'elle se donnait.

“Normalement, m'avait dit le docteur Fabien en aparté, votre fille aurait dû être morte. Il y a dix ans encore, née à vingt-quatre semaines au lieu de quarante, elle serait morte.”

Et Lara : “Là je vais enfin gagner. Là je vais enfin faire ce qu'il faut.”

Nous aurions pu recommencer, pourtant. Essayer de faire un enfant normal, banal. Il n'était pas trop tard ! J'avais envie de le lui dire : Mon amour, faisons-en un autre, c'est trop dur ce qu'on vit là, réveille-toi, reviens à toi, je t'en supplie.

C'était clair que ça se passait entre elles. Et normal aussi, bien sûr. J'avais beau me raisonner, me dire que ce n'était qu'un moment, un très court moment au vu de toute une vie, que je finirais bien par avoir une épouse et une fille bien distinctes, et une relation forte avec chacune d'elles… La raison n'y faisait rien. J'étais ahuri par cette espèce de soudure ou de symbiose entre elles…

Parfois, le week-end, je prenais la petite à mon tour, je serrais contre moi son minuscule corps tout intubé, perfusé, et son peu de poids me donnait le vertige. Je ne sais pas… l'idée de tenir entre mes deux paumes tout un être humain… Je sentais chaque petit os, chaque tressautement, chaque battement de son cœur et j'avais peur de la casser, peur qu'entre mes mains elle cesse de respirer. Elle avait la tête rasée en raison des perfusions crâniennes, les paupières plissées, fermées très serrées, et puis… elle cherchait sa mère, c'était évident.

Lara lui parlait sans discontinuer maintenant, du matin au soir… et je sentais qu'elle commençait à se perdre dans cette parole, ce flot de mots qui coulaient d'elle sans cesse. C'est devenu comme un délire. A l'hôpital, elle faisait elle-même la toilette du bébé, c'est tout juste si elle acceptait de céder sa place aux infirmières pour les soins. A la maison elle dormait à peine et, quand elle dormait, on aurait dit qu'elle parlait encore à Maya dans son sommeil.

Ça me glaçait. Je suis un scientifique. J'ai besoin de repères. C'est comme ça. Ce qui se vivait là était en contradiction avec tout ce que j'étais, le caractère que je m'étais forgé. Mes choix, mes options, ma façon de voir le monde. Je l'avoue.

M. RAQUET

Oh c'est pas vrai, la voilà qui rentre avec son chiard, merde ! J'espérais qu'il était mort, le morveux. Depuis le jour de l'ambulance je n'entendais plus le piano, je pensais que le môme était mort et que la mère se morfondait dans son coin. Enfin la paix, je me disais ! Mais non, merde, la voilà qui rentre avec son loupiot. Des braillements en perspective, des vagissements et compagnie à n'en plus finir. Jamais un moment de calme dans ce quartier prétendument tranquille. Plus que l'alternance entre deux tortures, le maudit piano et le maudit loupiot, jusqu'à ce que j'en crève.

LARA

Ton père va partir, Maya…

Robert me quittera. Pas pour une autre – non, pas comme ça – mais il s'éloignera et finira par nous laisser. Ainsi toi, pas plus que moi, tu n'auras de père. Nous répétons les seules choses qu'on s'était juré de ne pas répéter. Nous infligeons à nos enfants ce qu'on a nous-mêmes subi, comment faire autrement ?

Alors toi et moi on vivra ensemble, on sera toutes les deux… Enfin, toutes les trois, avec babouchka… Oui, il y aura trois femmes dans la maison, trois femmes et trois pianos !

ROBERT

Je suis parti.

Pas tout de suite, non. Il m'a fallu près de deux ans pour trouver le courage de m'en aller… mais c'est là, peu de temps après que Maya est revenue de l'hôpital, que mon départ a commencé.

Pourtant je les aime encore, ma femme et ma fille. Je les aime passionnément et je vis loin d'elles. C'est ainsi.

C'est drôle, si on veut. J'avais tout, et Dieu sait que j'y tenais. Cette grande et belle maison si chaleureuse, avec son jardin et ses pianos. La femme que j'aimais, la femme de ma vie.

Parfois, peut-être… on ne veut pas tout avoir. Parfois on repousse ce qu'on a, simplement pour ne pas tout avoir. Je ne sais l'expliquer autrement.

LARA

Tu sais, Maya, quand tu étais petite, Maya, Maya, quand tu étais petite, enfin je veux dire, quand j'étais petite n'est-ce pas, encore plus petite, je m'installais sous le piano pendant que ma maman jouait, c'était ma maison le piano, ma petite cabane tout en bois, et mamotchka jouait, elle jouait et tout autour de moi ça résonnait, ça vibrait, *boum*, les graves, la pédale, un orage, un déluge, un ouragan de musique se déchaînant dans le bois, une pluie de mille et mille notes, de subits éclairs dans les aigus, puis *boum*, J'ADORE !

Toi aussi tu te mettras sous le piano, n'est-ce pas ? Et plus tard, dès que tu le voudras, au clavier. Bien sûr tu devras t'habituer aux récriminations de notre voisin M. Raquet... C'est un homme hargneux, un misanthrope, sa femme est décédée il y a longtemps et ses enfants ne viennent jamais le voir, il hait la vie donc il hait la musique aussi, quand l'ensemble vient travailler chez nous en fin de journée il appelle la police et se plaint du tapage nocturne. Tu te rends compte ? Tapage nocturne, les *Trios* de Brahms à sept heures du soir ? Mais un jour il finira quand même par trépasser, le salaud, et on fera la fête toutes les trois – du *vrai* tapage nocturne pour une fois ! Et d'autres personnes viendront habiter la maison d'à côté, des voisins d'une gentillesse exceptionnelle... Un artiste dans la cinquantaine... oui, Lucien... et son fils... non, son neveu adolescent...

MAYA

Un camion de déménagement ! Garé pratiquement devant chez nous !

SOFIA

Maya s'élance, elle est dehors, je la vois de ma fenêtre à l'étage. Elle ne fait pas ses dix ans, c'est plus une fée qu'une fillette. Lara se désole de ses cheveux, les courtes mèches noires qui se dressent autour de sa tête comme par l'électricité – c'est parce qu'on lui a rasé le crâne à la naissance, le docteur dit qu'ils risquent de rester comme ça – tant pis, moi je la trouve parfaite, ma vnoutchka. Toute fine, toute frémissante avec sa robe d'été qui lui colle au corps.

Lara la suit, habillée en Française chic. Tailleur, sac à main, chignon. C'est presque l'heure de partir pour l'audition, et à sa façon de marcher, de serrer son sac contre son corps, je vois qu'elle est nerveuse. Comment peut-elle être nerveuse ? Comment ose-t-elle douter un seul instant… ?

LUCIEN

Je commence à être trop vieux pour les déménagements. M'en rends compte. N'aime pas à m'en rendre compte. La jeunesse, pour finir, ça existe – ha ! qui l'eût cru ? Autrefois, avec Annette, on aimait bien déménager. Se montrer forts, fougueux, capables. Nous les intellos, entendre nos muscles répondre présent à l'appel. Sentir l'effort dans notre dos, dans chacun de nos membres. Ahaner, transpirer, râler mais en s'amusant. S'enorgueillir de tout faire nous-mêmes, trimballer les cartons, construire les rayonnages, louer une camionnette… eh ben c'est terminé. Tant de choses sont terminées. Annette elle-même, et j'ai beau me le répéter chaque matin au réveil, ça ne m'empêche pas de l'oublier plusieurs fois par jour puis toute la nuit. Le pancréas ça va vite c'est foudroyant ça ne pardonne pas j'en ai par-dessus la tête de l'entendre. D'où le déménagement. Habiter un quartier de la ville où personne ne connaissait Annette, ni moi avec Annette.

SOFIA

Grognant et grimaçant sous l'effort, les gros bras descendent du camion un piano droit et Maya saute de joie, tape dans ses mains. Comme si elle n'en avait pas assez de trois pianos dans la maison. Mais non, bien sûr. Pour les vrais musiciens, chaque instrument est une rencontre, une révélation. Les gros bras s'engouffrent à nouveau dans la gueule noire ouverte du camion, les propriétaires du piano doivent être à l'intérieur de la maison, il n'y a plus personne.

Plus personne au monde. Que la petite et son instrument.

Elle dénoue la bâche, doigts rapides, la relève et la repousse, juste ce qu'il faut pour pouvoir soulever le couvercle et dévoiler le clavier. Rien que ça. Un clavier, un monde. Et de se mettre à jouer. Comme ça, assise sur une caisse en carton. En s'amusant. Le *Prélude en ré mineur* de Bach. Les gros bras continuent de faire leurs aller-retour, tête baissée, comme si de rien n'était. Des *lumpen*, des béotiens, des bêtes. Mais le nouveau propriétaire, un homme dans la cinquantaine aux grands cheveux blancs – lui est bouche bée. Il sort de la maison avec son fils adolescent – hypnotisés, tous les deux. Je ne vois pas de femme. Je voudrais qu'ils soient une famille nombreuse, une tribu, je voudrais que le quartier entier s'ameute pour venir l'entendre ! Comme autrefois à Moscou quand il y avait un vrai concert, un vrai génie – Glenn Gould par exemple : il a joué la première partie de son concert devant cinquante personnes, on l'a prié de prolonger l'entracte d'une demi-heure et quand il est revenu sur scène pour la deuxième partie, il y avait deux mille personnes dans la salle ! Le bouche à oreille avait fonctionné. A l'époque on savait qu'un grand pianiste qui joue, c'est une urgence.

Aujourd'hui avec leur musique en boîte, les gens ne savent plus ce genre de choses. Mais regarde-les tout de même, hein, mon Dieu ? Le père et le fils, abasourdis par ma petite fée – elle joue là, comme ça, sur le trottoir, arrachant à ce méchant piano droit des sons dont il ne se serait jamais cru capable. Ha ! Ecoutez-la bien, c'est ma vnoutchka ! Cette enfant joue comme on ne sait plus marcher, les pieds à la terre et les yeux perdus à la voûte. Que je suis fière d'elle !

Merci mon Dieu. Sur les genoux je te remercierais, si j'étais encore capable de me mettre à genoux.

LUCIEN

On avait le même âge : cinquante-cinq ans l'un comme l'autre. Quand les gens s'exclament mon Dieu ! morte si jeune ! ils n'arrivent pas tout à fait à y mettre de la conviction. Cinquante-cinq ans c'est vraiment pas jeune, mais c'est pas vraiment vieux non plus. Un âge où, contrairement à vingt, vingt-cinq ans, on préférerait sérieusement ne pas mourir.

Il faut prendre sur soi, c'est une obligation sociale. On a droit à un an de deuil, pas plus. Même pas de treizième mois. Au bout d'un an, on arrête de montrer la photo de sa femme à tout le monde, et d'expliquer… On se secoue.

On annonce à la fac qu'on va prendre sa retraite. Anticipée, comme ils disent. Un peu anticipée. Légèrement anticipée, quoi. On change de peau, de quartier, d'air. Il le faut.

C'est la première fois depuis Mai 68 que je déménage seul, et assisté par des pros.

Assisté aussi par Benjamin, mon neveu fou d'insectes. Les morpions en général, très peu pour moi – avec Annette on était d'accord là-dessus, c'est ce qui nous a permis de rester amants trois décennies durant. Mais

Benjamin j'aime bien, c'est pas un frimeur comme la plupart des ados. A quatorze ans il a son monde, c'est ça que j'apprécie. Structuré par des scarabées, des blattes et des cafards, mais structuré. Il se pose des questions, expérimente, enregistre et digère, le tout en silence... Ça m'a fait plaisir de dépanner mon frère en le prenant avec moi pour l'été. Lui et sa femme en ont six, les pauvres. Encore une victoire de Jean-Paul II...

Qui sait ? Dans ses rêves, c'est peut-être sur ses petits frères et sœurs grouillants que Benjamin effectue ses expériences...

BENJAMIN

Comme une libellule, posée, à peine posée, qu'est-ce que c'est que cette fille bleu-vert, iridescente, papillonnante. Doigts voltigeant, grappillant de la beauté là où ils la trouvent et la trouvant partout. Foldingue. Pourtant moi, le classique en général, très bof. Mais là, quelle allégresse, un truc inouï. Et elle rigole en plus, tout en jouant elle rigole comme si ça la chatouillait de partout. Oncle Lucien pendant ce temps, une statue. Une statue aux sourcils froncés. Ça lui fait du bien, c'est clair, et pas qu'à ses oreilles.

Il a changé depuis la mort de tante Annette, il est devenu un peu méli-mélo. Pourvu qu'il sorte pas la fameuse photo d'Annette à Mérida. "C'est ma femme… enfin, c'était ma femme. Elle est… elle était belle, n'est-ce pas ?" Ça me gêne quand il fait ça, toujours à guetter l'étincelle qui s'allume dans les yeux des autres, "Ah oui, elle est belle !" Qu'est-ce qu'ils peuvent dire, les pauvres ?

Il faut savoir se retenir.

LUCIEN

Tellement belle… On avait passé trois mois au Mexique cet hiver-là, pensant qu'il s'agissait d'un hiver parmi d'autres, sans s'imaginer un seul instant que ce serait le dernier… Annette est radieuse sur cette photo. A moitié allongée sur une banquette recouverte de coussins rouge et or, vêtue d'un pantalon flottant en soie orange, d'un petit haut qui laisse nus ses beaux bras bronzés, de sandales aux fines lanières de cuir et d'un long foulard safran, drapé autour du cou avec grâce et négligence comme elle savait le faire, elle me regarde droit dans les yeux en souriant – un vrai sourire, confiant, un peu espiègle… Ah ! comme je me réchauffais à ses sourires ! Après sa mort j'ai fait deux cents copies de cette photo et je les ai distribuées à droite à gauche, pas seulement à nos amis… L'idée que des dizaines d'individus de par le monde possèdent d'elle cette image-là, lumineuse et chaleureuse, rouge safran jaune orange et souriante, m'aidait… à… effacer l'insoutenable. Annette transformée en rescapée d'Auschwitz. Annette rongée, trouée, abjecte. Annette vomissant, pleurant et déféquant, la belle chair douce d'Annette pourrissant, se désintégrant sous mes yeux, Annette suppliant la douleur d'en finir avec elle, vite, si possible plus vite encore.

Non. Je ne montrerai plus ta photo, mon amour. Je passerai le temps qui me reste, seul sur cette planète, à chercher à reproduire dans les vitraux la lumière de tes yeux…

MAYA

Rarement joué sur une casserole pareille. Bach – à la casserole ! C'est marrant comme tout.

BENJAMIN

Ça y est, c'est terminé, la petite saute sur ses pieds, se retourne, pirouette, révérence coquine, les cheveux électriques, moustique, des pattes partout, marcheuse ravisseuse fouisseuse sauteuse nageuse, pas faussement timide comme les filles de son âge, pas minaudeuse, elle a les yeux encore tout étincelants de musique, elle nous regarde et dit : "Salut ! On habite la maison à côté" – levant un bras gracile pour nous montrer – "Je m'appelle Maya. Il est à vous, le piano ?"

Sans blague. Non il se trouvait parmi nos affaires par erreur. Et puis les présentations tous azimuts, pendant que les déménageurs continuent de traîner pousser porter les affaires d'oncle Lucien. Des prénoms seulement, la glace étant déjà brisée. Lara la mère, très grande dame, sourire figé, bonjour bonjour, les poignées de main à la ronde, oncle Lucien me fait marrer en se présentant comme peintre sur verre, normal, il a envie d'être quelqu'un d'autre, lui et Annette étaient profs et vagabonds mais maintenant qu'Annette a tiré sa révérence il a besoin de se terrer, s'enterrer dans ce quartier beau et mort. "Quand j'aurai installé mon atelier j'espère que tu viendras visiter, dit-il à la libellule, ça me ferait plaisir." Je regarde du coin de l'œil pour voir si ma boîte de vers à soie ne serait pas par hasard sortie du camion mais non, pas en vue. "J'ai remarqué, dit maintenant oncle Lucien à la dame coincée, que la clôture entre nos maisons est abîmée du côté du pommier, avec Benjamin on se fera un plaisir de la réparer, dès demain, si vous voulez. – Oh ! ce trou ne me dérange pas", dit la dame en fixant Lucien de façon étrange, comme si elle pensait à autre chose. Puis elle ajoute : "Au contraire, c'est très commode ! Comme ça Maya pourra vous rendre visite sans passer par la rue – et vous aussi, vous viendrez nous voir, n'est-ce pas ? Ce sera notre passage secret", non mais je rêve, au bout de trois minutes on en est déjà aux passages secrets, elle perd pas de temps celle-là, ça doit être les beaux yeux tristes de Lucien qui lui font tourner la tête...

A ce moment arrive en trombe et pile, juste à côté du camion, une belle Alfa Romeo rouge. “Papa !” s’écrie le moustique, et un type descend, costume-cravate, gueule assortie à sa voiture, même genre je veux dire, normal, c’est lui qui l’a choisie, sa bagnole, sa gueule aussi d’une certaine manière, très clean, rasée de près, tout le contraire de mon oncle un peu ours, un peu échevelé toujours, brouillon, bohème – mais sympa le mec, le papa en question, grand sourire plein de dents blanches, il plante un bisou bruyant dans la nuque de la sauterelle qui lui a noué les jambes autour de la taille, fines ses guibolles, la repose par terre, embrasse l’épouse et nous salue, re-poignées de main à la ronde, Robert il s’appelle – et, aussitôt, Lucien met les pieds dans le plat : “Je suis votre nouveau voisin”, dit-il simplement – mais pas de chance, le mec corrige, tranquille, dégagé : “Bienvenue dans le quartier mais je n’habite plus ici, je ne viens que le week-end.”

Bizarre quand même, sa façon d’embrasser sa femme, oui enfin, son ex-femme donc, plutôt tendre et mouillé, pas la bise glaciale qu’on voit en général entre divorcés, bon c’est pas mes oignons, je m’en fous d’ailleurs, où ils sont mes vers, où ils peuvent bien être, faudrait pas qu'ils étouffent sous les cartons de livres d'oncle Lucien. "C'est une sacrée artiste, votre fille", dit celui-ci pour se rattraper, changer de sujet, toucher terre, affirmer cette fois quelque chose d'irréfutable, et la mère de glapir : "Excusez-nous mais il faut qu'on se sauve, justement Maya a une audition à l'autre bout de la ville" – et le petit groupe de se disperser enfin, bye-bye, à ciao, abeilles partant chacune à la recherche de ce qu'elle estime être le nectar.

ROBERT

Eh bien ! au moins ça les changera de l'affreux M. Raquet… Entre les vitraux et les vers de terre, l'été s'annonce palpitant.

Lara et Maya s'éloignent. Debout sur le perron je les regarde s'éloigner, ma grande et ma petite, ma grave et ma guillerette – à les regarder, on jurerait que c'est Lara qui se prépare à traverser une épreuve. Elle avance d'un pas rigide, tragique, tétanisée – alors que Maya, tout en tenant la main de sa mère, chantonne et sautille comme un feu follet, pense visiblement à autre chose.

Elle a toujours eu le trac, ma femme. Elle me le décrivait par le menu après chaque concert : l'afflux subit d'adrénaline, le sang qui ne circule plus dans les extrémités, les mains qui tremblent, les doigts qui se glacent, l'esprit qui se vide, la partition méconnaissable – *"Qu'est-ce que c'est que toutes ces notes ?"* Et la certitude d'échouer… sans que je puisse jamais comprendre en quoi au juste aurait consisté l'échec, elle n'arrivait à l'exprimer que par des métaphores, des histoires de mur et de vague, de collision et de noyade. Moi, pratique, je lui suggérais de prendre de l'Avlocardyl. Presque tous les artistes de la scène en prennent et ça marche au quart de tour, empêchant le déclenchement de l'adrénaline de sorte qu'ils gardent tous leurs moyens… Lara prend bien des trucs tous les soirs pour dormir ; pourquoi pas pour jouer en public ? La seule fois où elle a essayé l'Avlocardyl, elle s'est trompée de dose : au lieu de cinq milligrammes elle en a pris quatre-vingts et ça l'a rendue tellement calme qu'elle n'avait même plus envie de poser les mains sur un clavier…

Schumann dans tout ça ? Oh, Schumann a longuement arpenté ces zones glauques lui aussi, il ne faut pas l'oublier.

Quand j'entre dans la maison, Sofia m'attend déjà à la table de la cuisine. Elle a gardé cette habitude des appartements communautaires de Moscou, tout se passe à la cuisine. Elle me sert du thé et verse dans mon verre une gentille rasade de whisky. Je suis chez moi. C'est curieux : huit ans après le divorce, je suis plus chez moi ici que dans l'appartement que je partage avec Nathalie dans une autre ville. Oui – tout de suite à l'aise, de plain-pied. Je garde une paire de savates dans la chambre en haut, une brosse à dents dans la salle de bains... et même, parfois... Lara me reçoit comme avant. Nathalie s'en doute, je crois, mais préfère ne pas me poser de questions, préfère se dire que je suis un bon papa qui va chaque week-end dans la maison de sa fillette surdouée parce que celle-ci ne peut se permettre de quitter ses pianos... Mais je crois qu'elle le sait, quelque part... qu'avec Lara...

Il n'y a que Lara qui me bouleverse, la chair de Lara, cette chair qui s'est miraculeusement ouverte un jour il y a dix ans, et dont Maya est sortie. Notre séparation est une douleur qui me poursuit toute la semaine, pour s'apaiser chaque week-end quand je serre Lara et Maya dans mes bras... Je les aime, mais c'est elles ensemble que j'aime, Lara-et-Maya en un seul mot, dans cette mystérieuse symbiose née de la chambre blanche, et qui m'exclut. C'est comme si la lumière, ici, était un soleil féroce qui me blessait les yeux – et comme si, étant ce que je suis, je n'avais droit qu'à l'éclairage électrique. Pour moi, c'est évident, le divorce n'y change rien, Lara sera à jamais ma femme et Sofia ma belle-mère, mais dans la vie de tous les jours c'est d'une femme comme Nathalie dont j'ai besoin, une femme simple et sympa, efficace, sans états d'âme...

"Elle va bien votre Natalia ?" me dit Sofia, qui ne peut guère concevoir des prénoms féminins se terminant par autre chose qu'un *a*.

"Ça va."

Fabuleux, le nombre de choses que ça recouvre, une petite phrase comme "ça va". Je ne vais quand même pas accabler Sofia avec les récents déboires de Nathalie au sein de la rédaction de son journal médical. A question polie, réponse polie, c'est parfait comme ça : la politesse n'est pas faite pour les chiens. J'ai toujours apprécié les salamalecs qu'échangent les Algériennes au square, c'est vide de sens mais en même temps plein d'autres choses, et la santé ça va ? et votre fils ça va ? et votre mari ça va ? et votre mère ça va ? et vos petits-fils ça va ? et vos filles ça va ? alors c'est bien, ça va alors, ça va. Convention admirable.

Mais au bout de quelques minutes de ces échanges banals et rassurants, je pose quand même à Sofia une question authentique :

"Et Lara, ça va ?

— Moyenne", me dit-elle. Elle choisit bien ses mots, même si elle se trompe parfois de genre.

"Beaucoup d'insomnies ?

— Oui je crois.

— Et vous-même ? Votre hypertension ?

— Ça c'est entre moi et le bon Dieu, fait Sofia avec cette brusquerie que j'adore, qui est sa manière à elle d'être affectueuse. Occupez-vous de vos souris blanches."

LARA

Oui c'est moi qui te formerai dans un premier temps, mais plus tard, quand tu auras dix-douze ans et que je n'aurai plus rien à t'apprendre, tu passeras une audition avec le grand Dianescu, oui, rien que le meilleur pour toi, mon ange, mon oisillon, si seulement tu acceptes de vivre. On ira le voir ensemble, main dans la main, tu seras gaie et insouciante n'est-ce pas chérie parce que je t'aurai fait ce don, ce don de la musique comme jeu, oui tu auras le *don* de la musique mon amour, tout ce qui te tombe sous les mains sera transformé en joie de vivre et Dianescu en sera sur le cul !

Il en a vu des prodiges, pourtant. Il croit savoir ce que c'est : un prodige c'est un enfant doté de parents sadiques. Il ne connaît que ça, Dianescu : les pauvres mômes obligés de travailler leur instrument trois, puis quatre, puis cinq, six, sept heures par jour, à coups de privations si ce n'est à coups de fouet, les enfants à qui leur mère apporte des balles en éponge dès qu'ils ont les mains inoccupées, pour qu'ils ne perdent surtout pas une seconde, pour que leurs muscles continuent de se former en malaxant la balle, et attention de ne pas creuser tes phalangettes ! et attention aux pointes ! oui les piteux prodiges enfermés avec leur piano et condamnés aux travaux forcés, sommés de produire de la beauté, contraints de briller et d'exceller pour racheter les mille échecs et misères de leurs géniteurs, il en a vu et revu de ces soi-disant virtuoses de dix ans, coupés de tout contact avec leurs pairs, arrachés à l'école, privés de jeux, de sport, de promenades et de voyages vu les risques que cela comporterait pour leurs dix appendices inestimables – mais pour toi Maya, ça ne se passera pas comme ça.

Tu vivras dans la musique, ce sera ton aire naturelle, tu joueras comme tu respires – *respire, ma petite ! respire, je t'en supplie !* A t'écouter, Dianescu n'aura aucune de ces réactions convenues et bêtes qu'on voit dans les films sur la musique, la mâchoire qui tombe, les yeux qui s'écarquillent – non, à t'écouter, il deviendra seulement un peu plus immobile, son regard se fera sérieux, attentif, et je saurai que c'est oui, qu'il accepte de te prendre en charge, de guider tes pas dorénavant, de t'aider à aller plus près, plus près encore de cette chose sublime qui est ton origine et ta maison.

Oh, vis !

DIANESCU

Je ne peux plus supporter leur espoir.

Ce doit être assez semblable pour les cancérologues : dans les yeux de chaque patient – implorant, urgentissime, terrible – l'espoir. Dites-moi oui docteur. Je sais que vous avez des centaines de patients qui sont en train de mourir mais dites-moi que *moi*, *moi* vous comprenez, cette âme humaine qui vous parle et que vous voyez luire avec ardeur dans mes yeux – c'est différent. Dites-moi oui, dites-moi que je serai l'exception. L'épargné. Le génie.

J'en ai assez. Je ne peux plus les supporter. Je deviens cruel, je le sais. On me fait perdre mon temps et je deviens cruel. La petite, ce matin. Venue exprès depuis San Francisco pour avoir un avis, un conseil, un encouragement. Elle n'avait pas l'air de rouler sur l'or, le billet d'avion avait dû engloutir les économies de sa famille. Une Chicana, je crois qu'on dit. Origines mexicaines, assez mignonne si on aime le genre espagnolisant, longs cheveux ébène, peau mate, grands yeux sombres implorants, ça recommence et j'en ai assez. Ils ont reçu trop d'applaudissements, ces gosses. Dès qu'ils font preuve d'un petit talent : récitals, prix, conservatoires, bouquets de fleurs, ça leur tourne la tête, ça leur gonfle l'ego d'illusions absurdes. Alors avec la Chicana j'ai un peu exagéré. Mettons qu'elle a payé pour les autres, et que ça ne la tuera pas. Je n'ai pas pu me retenir, elle me prend mon temps. Elle s'assoit au clavier, me dit timidement qu'elle a passé les trois mois du printemps à mettre au point son répertoire, je n'en ai rien à cirer, puis elle se met à jouer. Bon je veux bien, Scriabine, Debussy, Messiaen pourquoi pas… Je la vois qui se détend peu à peu, oublie son trac et commence à *s'exprimer*, à faire passer ce que son professeur doit appeler *l'émotion*, je lis dans son jeu comme dans un livre, un très mauvais livre, eau de rose en veux-tu en voilà, ici on pleure, là on danse parmi les pâquerettes, regardez les ailes de la fée qui vibrionnent, et soudain je n'en peux plus de tous ces gosses talentueux qui se croient déjà des étoiles dans la pléiade, alors je l'interromps.

Eh oui, je l'interromps. Comme ça. "Dites-moi, ma chère Esmeralda", je crois qu'elle s'appelait Esmeralda. "Est-ce que vous savez chanter ?"

Décontenancée, bien sûr.

"Oui ? Je suis sûr que vous avez une très belle voix. Chantez-moi quelque chose."

Hésitante, rougissante, elle se met à jouer et à chanter les *Sept sonnets de Michel-Ange* de Britten. Voix fluette et tremblotante, bien sûr. Elle ne sait pas encore de quel bois je me chauffe. Elle va le savoir.

“Non, mais… excusez-moi, dis-je, l’interrompant à nouveau. *Chantez*, s’il vous plaît. *Sans* le piano.”

Elle tient encore deux-trois mesures puis se tait, les yeux par terre, les joues en feu. C’est beau, une peau basanée qui rougit. Et je lui assène, de ma voix la plus cynique et la plus lasse : “Ecoutez, ma chère Esmeralda. Faites-moi plaisir. Rentrez à San Francisco. Chantez, si vous voulez. Ou dansez. Vous êtes mignonne, faites-vous comédienne, mannequin, n’importe quoi. Mais, je vous en supplie, *ne jouez plus du piano*.”

Ah. Elle a déguerpi. Bon débarras. Je ne peux pas m’occuper des mouvements de cœur de tous les pseudo-artistes de ce bas monde. C’est décidé : l’an prochain, j’arrête de prendre des élèves. Pourquoi enseigner, de toute façon ? En trente ans d’enseignement du piano, je n’ai rencontré que deux ou trois pianistes.

Et celle-ci maintenant. Une de plus. Genre elfe, je connais aussi. *Wunderkind* de mes fesses. Ça y est, la mère, vue, les yeux anxieux, cernés de pourpre, une insomniaque, une droguée, dix contre un qu’elle a profité de la pénombre des vestiaires pour s’envoyer quelques Lexomil à la dérobée, pianiste ratée elle-même à coup sûr, et voyons un peu le baratin qu'elle m'a mijoté... "Bonjour monsieur Dianescu, c'est un immense honneur pour moi de vous serrer la main", ça commence bien – il avait raison, Gould, de ne pas vouloir serrer la main des gens, c'est dégradant – "C'est votre ami M. Taittinger qui m'a encouragée à profiter de votre présence dans la ville, sinon je ne me serais pas permis" – abrégeons, abrégeons, tant de mots pour ne rien dire, tant de secondes qui mordent la poussière les unes après les autres, sans raison, sans contenu, abrégeons – "Je suis moi-même professeur au Conservatoire et je me suis occupée de Maya jusqu'ici, mais..." – bon ça va, je connais la suite, passons au clavier – "Chère madame, dis-je, la coupant sans cérémonie. Nous avons deux oreilles et une langue, pour nous obliger à moins parler et à mieux entendre. C'est une phrase de Plutarque qui me semble assez pertinente. Veuillez commencer, je vous prie."

Ah ?

LARA

Ce sera une *Fantaisie* de Bach mais ce sera comme si tu l'avais composée toi-même, non, comme si tu étais un oiseau et que cette *Fantaisie* était ton chant. A t'écouter, Dianescu et moi, on s'élève peu à peu vers une sorte de sérénité parce qu'il n'est même plus question de notes, de fautes, de doigtés, de technique : tes mains courent sur le piano comme tes pieds courraient sur une plage, parce que tu veux, parce que tu peux courir, tes petites mains frappent et caressent les touches blanches et noires et on est immergés tous deux dans un bain de félicité. Mon ange, tu domines – regarde, tu conquiers cet instrument qui m'a toujours dominée, c'est ton *instrument*, il se met à ton service. Oui ce monstre noir qui pèse une tonne se cabre et se laisse flatter par toi comme un chat.

A voir l'absolue fixité du regard de Dianescu, et le mouvement légèrement irrité qu'imprime sa main droite sur le piano, je sais avec certitude la phrase qu'il prononcera à la fin de ta *Fantaisie* : "Première leçon à Berlin au mois de septembre, voici l'adresse." Ah ! mon oisillon je sens que tu es en train de t'envoler, que tu n'as plus besoin de moi…

Mais aussi, et c'est plus grave : la musique non plus n'a plus besoin de moi.

MAYA

Regarde maman il pleut ! Oh l'air chaud et chargé de tout à l'heure pendant le déménagement, tu te souviens comme ils suaient les gros messieurs en portant les cartons, eh bien pendant qu'on était à l'audition ça a craqué, éclairs et tonnerre et maintenant tout va être lavé à grandes eaux, c'est super, non ? Viens ! on court ! Donne-moi la main ! Tu es contente ? “Oui – très” – tu dis oui très, mais tu as l'air triste. Pourquoi tu es triste, maman ? Ça s'est bien passé, non ? Il était vraiment génial ce piano, je me suis tout de suite entendue avec lui ! Je vais suivre des leçons avec ce monsieur, j'irai en Allemagne deux fois par mois, il faut fêter ça ! Tiens, une boulangerie, tu m'achètes des macarons au chocolat ? Oh ! merci ! J'adore les macarons, je pourrais en avaler cinquante, tout en courant avec toi sous la pluie ! On n'a même pas besoin de faire attention, la pluie nous lave le chocolat sur le visage, on peut s'en mettre partout ! C'est *bon*... tu en reveux ? D'accord, d'accord, j'arrête de m'empiffrer, je savais pas qu'il fallait en garder pour le dessert.

Regarde comme elles dansent, les feuilles, quand les gouttes de pluie les frappent ! Tous les arbres sont en train de frétiller ! T'es belle maman avec les cheveux mouillés, j'aime tellement quand tu me tiens la main comme ça en marchant, j'aime voir nos doigts tissés ensemble comme un panier – tu crois que j'aurai les doigts aussi longs que toi, quand je serai grande ? Tu crois que je pourrai faire un accord de dixième moi aussi ?

Regarde comme elles sont contentes, tes roses, elles boivent la pluie à grandes goulées, t'auras pas besoin de les arroser ce soir... Hé ! T'as vu ? là, dans notre jardin – de toutes petites *grenouilles* ! Elles aussi sont sorties fêter la pluie ! C'était super quand tu as dit que le trou dans la clôture serait notre passage secret, ils ont l'air sympas ces nouveaux voisins – oh ! c'est quoi, là ? C'est un renard ou quoi ? Tu l'as vu ? Il a disparu... Je te jure, ça ressemblait complètement à un renard ! Peut-être qu'il habite la forêt à côté et qu'il s'est perdu... Ça peut se perdre, maman, un renard ?

SOFIA

Ce qu'elle est distraite, ma fille, elle ne voit même pas que Maya a les cheveux mouillés. A quoi pense-t-elle, de la laisser venir à table avec la pluie qui lui coule encore dans la nuque ? ! Viens là, toi, que je te frotte un bon coup avec une serviette – bon, assieds-toi maintenant, et bon appétit. J'ai fait des choux farcis exprès pour toi, allez, mange ! Tu mérites de bien manger, après ce que tu as fait cet après-midi. Oh ! moi je n'avais pas le moindre doute, je savais que ça serait oui. Un don de Dieu, ça ne se discute pas : on ne dit pas peut-être, il faudrait voir, en fonction de mes horaires... C'est oui, c'est clair, c'est tout.

Elle s'en fiche, la petite, du moment que sa mère lui a acheté des macarons et que son papa est venu, la famille réunie. Bach ou les macarons, c'est pareil, ça lui fait plaisir. Drôle, tout de même, à son âge, ce goût pour le contrepoint. Ça je n'ai jamais vu. Au Conservatoire de Moscou, Bach n'était qu'une mise en doigts, pas un compositeur. On dégoulinait tous de romantisme : Liszt, Schumann, Beethoven, presque rien d'avant Mozart. Mais Maya, depuis qu'à l'âge de quatre ans elle a déchiffré le *Petit livre d'Anna Magdalena Bach*, ne se passionne plus que pour ces formes anciennes un peu rigides, fugues, chaconnes, passacailles… Très singulier.

"C'est bon, les choux, au moins ?

— Quels choux ?

— D'accord, c'était bon."

Larissa est bien préoccupée ce soir. Elle pianote sur le bord de la table comme pour s'assouplir les doigts… Qu'a-t-elle donc, à la fin des fins ? Maya a réussi son audition, elle a été éblouissante, Dianescu n'a pu que s'incliner, n'est-ce pas ce qu'elle souhaitait ? Elles sont si compliquées, les femmes françaises. A vous parler d'ambivalence, d'amour-haine et autres sornettes freudiennes. Bien sûr, si on ne se laisse plus guider par le Seigneur, si on se sent responsable de chaque petit pas qu'on fait, si on se fait une montagne pour choisir entre ceci et cela…

Moi je lui en ai parlé, au bon Dieu, de cette histoire d'audition. Il m'a dit que Dianescu c'était une excellente idée, puis Il a fait en sorte que ça marche. C'est simple et je m'en réjouis. Pourquoi Lara tient-elle à compliquer les choses ? Ça doit être les gènes de Seriojka, son grand mélancolique de père. J'y peux rien, moi…

“Papa, qu’est-ce que tu ferais si toutes les souris blanches s’échappaient un jour ? Si elles se mettaient à courir dans le laboratoire dans tous les sens ? Comment tu ferais pour les rattraper ?

— Attends… laisse-moi réfléchir… Je demanderais au fromager de me construire un énorme chat en gruyère. Comme ça les souris viendraient le voir, attirées par l’odeur… puis elles resteraient figées sur place. Déchirées entre la terreur et la gourmandise, elles n’oseraient ni avancer ni reculer, et je profiterais de leur indécision pour les attraper toutes en même temps !”

Maya pouffe de rire et moi aussi, mais Larissa a toujours les yeux dans le vide, elle n’écoute rien ce soir, je me demande où elle est. Bizarre, tout de même.

“Allez, Maya, dis-je en me levant, c’est l’heure d’aller te coucher, tu te prépares et tu m’appelles ?” Et je me mets à débarrasser la table.

“Laissez ça, Sofia, dit Robert. Vous avez travaillé à vos fourneaux tout l’après-midi. Laissez-nous ranger, Lara et moi, ça nous fera plaisir.

— Oh ! m’écriai-je, indignée. Posez tout de suite cette assiette et allez au salon fumer votre pipe et lire votre journal comme un homme ! Vous n’avez pas honte de venir vous mêler des affaires de bonnes femmes ?”

Ah cette mode qu’ils ont ici en Europe, unisexe comme ils disent. Ridicule. Des hommes qui mettent un tablier et lavent la vaisselle, ou qui portent leur bébé dans un sac sur le ventre, de ma vie je n’ai rien vu d’aussi ridicule ! Si Dieu avait voulu que les hommes portent des bébés, Il leur aurait donné un utérus, voilà. C’est clair.

“Larissa, réveille-toi, tu es dans la lune !

— Oui, mamotchka…”

Elle sourit. Je connais ce sourire. Ça veut dire qu’elle souffre. *Ne vois-tu pas que cette journée est un tournant tragique ?* se dit-elle. Oui je lis dans ses pensées, je sais parfaitement ce qu’elle se dit. *Maya s’éloignera de nous dorénavant… Elle aura une grande carrière…*

Laissons cela, ma fille. Ne te torture pas, c’est Dieu qui s’en occupe. En attendant, je monte coucher la petite.

Chaque nuit pendant que je dors, le menuisier vient changer l’escalier. Chaque matin quand je me réveille, la hauteur des marches a été augmentée d’un centimètre. Bientôt je ne pourrai plus les monter, ces satanées marches. Doucement, mon cœur. Doucement…

ne bats pas si vite ! Il ne faut pas gaspiller les battements qui te restent ! J'ai envie de voir ce que deviendra ma petite musicienne. Donne-moi encore un peu de temps… Encore un peu…

LARA

Babouchka te vouera un culte, ma petite Maya. Tu seras tout ce qu'elle avait voulu que je sois, ce que je n'ai pas réussi à être. Sa fille l'a déçue mais sa vnoutchenka compensera, rachètera…

Mais en même temps, chérie, *tu es moi*, n'est-ce pas ? puisque c'est moi qui t'ai faite, moi qui t'ai fait vivre en t'aimant, te parlant, te caressant chaque jour – alors, ton bonheur me rend heureuse. Comment pourrait-il en être autrement ? Quand tu inspires, mes poumons se gonflent d'air et quand tu ris mon cœur est à la fête. Oh ! je sais, tu ne ris pas encore – mais parfois, maintenant, quand on retire la sonde de ta bouche, tu souris aux anges. Ce sont eux tes plus proches compagnons, chérie – les anges. Je me bats pour te ramener sur terre mais toujours tu garderas en toi, intime, intact, ce que tu auras entrevu là-haut… D'où la passion qui t'habitera toute ta vie pour Bach, Gesualdo, Gibbons, les compositeurs qui, comme toi, ont été frôlés par une aile céleste.

On est bien, tu ne trouves pas ? enfermées dans la chambre blanche, lovées dans notre bulle de chaleur au cœur du froid hivernal, espace hors de l'espace, les minutes éclosent et coulent sur nous, temps hors du temps, je te serre contre moi dans la berceuse, ta peau frémit contre la mienne, j'imprime à ton corps des mouvements réguliers de balancement, je suis calme, je t'aime si fort ma douce, je ne me doutais pas qu'un tel amour fût possible, et quand tu ouvres les yeux maintenant tu me *regardes* ! C'est insensé le plaisir que ça me fait, *oh tu es là* ! Aie confiance, Maya, on s'en sortira, je te le jure.

Chaque soir après le repas, babouchka montera dans ta chambre pour que tu lui joues quelque chose ; en échange, elle te racontera une histoire ayant un lien avec ce que tu viens de jouer. Je rangerai la cuisine pendant ce temps en vous écoutant de loin… le piano, puis les voix.

Où est-elle allée chercher ce rituel, ma mère ? Elle ne l'a jamais fait avec moi. Rien que *la-do-fa* – et les pas que j'avais le droit de faire, en avant, en arrière.

SOFIA

Ouf ! Le fauteuil ! J'aime mieux ça. Merci mon Dieu d'avoir inventé les fauteuils, c'est très gentil à toi.

"Attends, attends Maya que j'attrape mon souffle, sinon je n'entendrai rien de ce que tu joues. Bon, c'est bien. Vas-y."

Je me régale d'avance. Elle trouve toujours quelque chose pour m'étonner. Parfois la vitesse, parfois les *staccati*, ou l'utilisation de la pédale… Ce soir, c'est la lenteur. La fugue en *ut* mineur du *Clavier bien tempéré*… Je ferme les yeux et me laisse glisser dans la musique comme dans un bon bain chaud. Oui. Oui, ma vnoutchenka, tu y es. Ses silences se tendent les uns vers les autres, parmi les notes perlées.

Ah ! – et d'enchaîner avec un prélude brillantissime, techniquement redoutable. Elle essaie de me jeter de la poudre aux yeux en le jouant le plus rapidement possible, et ça m'agace : "La vitesse, la vitesse ! lui dis-je. Tu crois m'impressionner avec ta vitesse ? La musique se dépêche d'aller nulle part, oui, à cette vitesse !"

Et, comme toujours quand je m'énerve, Maya pouffe de rire et se jette à mon cou.

LARA

Ensuite, chaque soir, tu refermeras le couvercle du clavier, tu te mettras au lit et, prenant doucement la position du sommeil, tu attendras les yeux ouverts le récit de ta grand-mère… Ce soir-là, pour te rendre la monnaie de ta pièce déchaînée, Sofia te racontera une histoire où la musique sert de punition : l'histoire d'Ivan et de son violon magique.

SOFIA

Le petit Ivan s'engage chez maître Grippe-Sou. Il travaille toute une année et, à la fin de l'année, son maître le renvoie en lui donnant pour tout salaire un peu de lard et un morceau de pain. Mais Ivan a le cœur gai ; il s'en va donc joyeusement, une chanson sur les lèvres. En traversant un petit pont sur la rivière, il croise un vieillard. Le vieillard lui dit : "Oh ! beau jeune homme, vous avez l'air de bonne humeur, tout va bien pour vous, mais il n'en va pas ainsi pour tout le monde. Moi je meurs de faim. Vous n'auriez pas un petit morceau à partager avec moi ?" Ivan n'a pas grand-chose mais il pense qu'il faut quand même le partager. Donc il dit : "Mais ce sera de bon cœur !" Les deux hommes s'assoient ensemble, ils mangent le pain et le lard, et en partant le vieillard dit à Ivan : "Puisque tu as été si généreux avec moi, je serai généreux avec toi. Tu peux me demander ce que tu désires, ton vœu sera exaucé." Ivan dit : "Ce que j'aurais aimé avoir, c'est un violon qui fasse danser les gens quand je le joue." Le vieillard répond en souriant : "Eh bien, ce violon se trouve déjà dans ta besace ! et je t'y ai même laissé quelques petits cadeaux supplémentaires." Avant même qu'il n'ait terminé sa phrase, voici qu'il a disparu.

"Tiens ! se dit Ivan. Ça ne devait pas être un passant ordinaire."

Il ouvre sa besace et il y trouve un magnifique violon. A côté du violon, une poule fraîchement cuite, encore fumante, une bouteille de vin – et, en plus, une bourse remplie de pièces d'or ! Ivan mange de bon appétit, il termine la poule et, tout content, se met à compter son or. Mais pendant ce temps, maître Grippe-Sou, craignant qu'Ivan n'ait emporté de la maison des objets de valeur, l'a suivi. S'approchant de lui, il le voit en train de se régaler et se demande comment il a pu se procurer cette bonne poule et la bouteille de vin. Mais quand il le voit compter l'argent, il ne tient plus en place, il laisse échapper un cri d'étonnement.

Ivan lève les yeux et l'aperçoit au milieu des fourrés et des piquants. "Hum ! se dit Ivan. On va voir si le violon peut vraiment faire ce qu'on m'a promis." Il se met à jouer sur un rythme endiablé, et le pauvre Grippe-Sou ne peut pas s'empêcher de danser. Mais comme il est au milieu des épines et des ronces, au bout d'un moment il est tout ensanglanté. "Ivan ! hurle-t-il. Arrête-toi ! Je ne veux plus danser !" Mais Ivan joue de plus belle…

Oh ? Elle dort déjà, Maya. Ses fins cheveux noirs dressés autour de sa tête en un sombre halo, elle dort, ma petite-fille.

ROBERT

Ça ne va pas ce soir, elle a laissé entrouverte la porte de la salle de bains et je vois que ça ne va pas du tout. Elle avale un somnifère, puis un autre. S'observe dans la glace de la pharmacie d'un air méfiant, en plissant les yeux. Lève lentement les deux mains et les plaque de part et d'autre de sa tête, aplatissant ses cheveux qui grisonnent un peu. Ma Lara qui, tout doucement, vieillit.

Voyant soudain mon reflet dans la glace, elle se retourne, mauvaise.

"Si la petite doit aller à Berlin deux fois par mois, dit-elle, il faudra que tu augmentes notre pension. L'avion, ça coûte cher."

Pourquoi me parle-t-elle sur ce ton ? Je tombe des nues. Il n'y a jamais eu de conflit d'argent entre nous. Bien sûr que je m'arrangerai, je trouverai ce qu'il faut, ça va de soi, pourquoi prend-elle tout à coup ce ton revendicatif comme entre divorcés ordinaires, divorcés se détestant…

"Mais oui, mon amour", lui dis-je, cherchant où, sur son corps, je pourrais poser une main caressante. Mais son corps est incaressable ce soir, hérissé de pointes invisibles. "Il n'y a pas de problème.

— C'est ta phrase préférée, n'est-ce pas, Robert ? Il n'y a pas de problème, il n'y a pas de problème – si on le répète assez souvent, on finit par mourir et il n'y a plus de problème…

— Mais qu'est-ce que tu as, Lara ?

— Je n'ai rien. Tu m'entends ? Je… n'ai… *rien !*

— Tu souffres d'insomnies en ce moment, m'a dit ta mère ?

— J'ai horreur qu'on parle de moi derrière mon dos.

— Lara, je t'en prie. On ne te veut que du bien. Moi personnellement, je te veux beaucoup de bien. Si je pouvais t'en faire un tant soit peu…", et je lui ouvre les bras, tout en sachant d'avance que la réponse sera non.

"Non, je n'ai pas envie. C'est vrai que je ne suis pas dans mon assiette ce soir.

— Tu as encore les ordonnances qu'il te faut ?

— Oui, Robert, tu es gentil.

— Eh bien… bonne nuit alors.

— Bonne nuit, mon chéri."

Elle m'embrasse comme si j'étais son frère et s'enferme dans sa chambre.

Plus tard, de la chambre voisine où je me console avec un roman policier, je l'entends qui bouge, soupire, se relève, va à la salle de bains, ouvre et referme la pharmacie… Cet acharnement à dormir… Est-il possible qu'après toutes ces années elle retourne encore dans ses rêves à la chambre blanche ? Une fois, je ne sais plus si c'était avant ou après notre divorce, elle m'a fait cet aveu qui m'a donné froid dans le dos : "C'est là que j'ai été heureuse, m'a-t-elle dit. Là que, pour la première fois de ma vie, je me suis sentie nécessaire. Quelqu'un avait besoin de moi : de *moi* et de personne d'autre. La vie exigeait de moi une chose que j'étais en mesure de fournir, je n'avais aucun doute là-dessus. Ce n'était pas comme le reste… le piano… ma mère… même toi, Robert… Je ne passais pas mon temps à me demander si j'allais être à la hauteur. *J'étais ce qu'il fallait que je sois.*"

Je n'ai jamais oublié ces mots.

La grande maison sombre au milieu du jardin sombre, et la pluie au-dehors, encore, glissant doucement sur les feuillages, sur les roses, sur l'herbe, pénétrant dans le sol, et quatre individus, quatre mondes, quatre flammes de conscience enfermées chacune dans sa chambre, quatre lampes qui s'allument et s'éteignent sur la façade noire dans le noir, vues par personne. Maya qui dort à poings fermés, moi qui, à moitié distrait, suis les péripéties d'un détective new-yorkais, Lara qui se tourne et se retourne dans son lit… Et Sofia. Que fait-elle, Sofia, tout là-haut ?

SOFIA

Merci, mon Dieu. Merci que Maya ait réussi son audition. Je savais que Tu m'accorderais cela. Je suis contente. Merci aussi pour cette bonne plaquette de chocolat, c'est vraiment délicieux. Pardonne-moi si je ne me relève pas après pour me laver les dents une deuxième fois. J'aime tellement ça, manger un peu de chocolat avant de m'endormir, mais j'ai pas la force de me relever. Tu comprends, hein ? De toute façon, au point où j'en suis, c'est pas des dents que je vais mourir.

Encore une chose : si Tu peux, fais en sorte qu'il n'arrive pas malheur à Larissa. Si Tu peux, hein ? Je sais qu'on n'a rien pour rien.

Allez, c'était une bonne journée. Merci. Bonne nuit.

LARA

Vis, ma fille ! Respire, je t'en supplie ! Non seulement tes yeux commencent à voir, mais ta petite main se resserre maintenant sur mon doigt, je ne connais pas de sensation plus exquise, bientôt tes lèvres se serreront sur mon sein aussi n'est-ce pas ? et on pourra s'en aller… Tu verras, dès qu'on sera à la maison je te présenterai les pianos les uns après les autres, ils ont chacun son tempérament, ses qualités et ses défauts, au premier étage il y a le vieux Steinway droit de Sofia – quand tu auras trois ans on le mettra dans ta chambre – et puis, au salon, le Yamaha et le magnifique Pleyel demi-queue – c'est le Pleyel que j'aime et que je déteste le plus, quand on le regarde depuis la cuisine avec son couvercle relevé, on dirait une énorme feuille noire – ou un pétale noir – ou alors le pan de jupe noire d'une danseuse de flamenco… oh elle m'impressionne tant, cette grâce dure et figée ! cette insolence immobile ! Une fois j'ai rêvé qu'en ouvrant le Pleyel, je trouvais ma mère couchée à l'intérieur, toute recroquevillée et desséchée, les yeux fermés. J'ai compris qu'elle était morte et que le piano était son cercueil, mais en même temps elle me parlait, j'entendais sa voix me haranguer : "Je t'ai bien dit que la musique était une question de vie et de mort, disait-elle, et tu n'as pas voulu me croire. Et voilà, c'est bien fait pour toi, tu ne feras jamais partie des élus ! C'est ainsi, tu n'as à t'en prendre qu'à toi-même."

Mais toi Maya, jamais tu ne te sentiras coupable en t'installant devant un clavier. Ah ! comme tes petits doigts seront vifs et fulgurants sur les touches ! Serre mon pouce, oui – fort, fort ! c'est ça !

Elle se porte bien, n'est-ce pas, docteur Fabien ? Elle a bonne mine, vous ne trouvez pas ? Elle fait des progrès… Elle survivra maintenant, c'est sûr, n'est-ce pas ? Faut-il vraiment lui faire encore une piqûre ? J'ai si hâte de lui donner le sein… vous pensez que ce sera pour bientôt ? Ne pouvez-vous au moins me donner une idée de sa date de sortie ? Je fais tout ce qu'on me dit de faire, tout ce que je peux, je l'encourage, je lui parle, je porte un masque pour ne surtout pas lui transmettre mes microbes, mes problèmes, mes névroses… Je vous assure, je ne l'embrasse même pas, ma fille !

D'ailleurs… à propos de microbes, savez-vous que tout à l'heure j'ai vu un *papillon*, *ici*, dans l'unité des soins intensifs ? Mais si, je vous jure… un petit papillon blanc qui voletait de-ci de-là dans la pièce ? Non non, c'est absurde, vous avez raison, non je sais, je sais bien, la chambre est hermétiquement fermée et il est impossible que des insectes y pénètrent, oui je me suis imaginé des choses… pardon… je suis si fatiguée, docteur Fabien, vous comprenez. Si fatiguée et si fiévreuse…

BENJAMIN

Fier comme coq en pâte, l'oncle Lucien : une église lui a passé une commande pour trois vitraux. Il commence par de simples croquis sur papier, puis enchaîne avec une maquette à l'échelle, colorée à l'aquarelle. La libellule ne décolle pas de son atelier. Complètement fascinée par ses dessins.

"Lui, là, pourquoi il est plié en deux comme ça ?

— Lui c'est saint Séraphin, au départ c'était un grand jeune homme beau et fort. Il vivait dans la forêt, passait ses journées à abattre et à débiter les arbres, et dormait deux heures par nuit agenouillé sur une pierre. L'été il travaillait dans les marais, exprès pour que les moustiques le piquent.

— Ça s'appelle maso, ça, non ?"

Lucien se marre.

"De nos jours on dirait peut-être ça comme ça, mais Séraphin avait envie d'imiter Jésus, donc de souffrir autant que lui. Un jour, des bandits sont venus dans la forêt pour le voler. Et comme, dans son imitation du Christ, Séraphin refusait de résister aux méchants, il leur a donné son seul bien, à savoir… sa cognée.

— Ah c'est génial ! alors ils l'ont tapé avec ?

— Exactement. Ils l'ont battu comme plâtre et laissé pour mort, mais il a fini par se ranimer malgré tout et il a réussi à se traîner jusqu'au couvent… Le reste de sa vie il a dû marcher comme ça, courbé en deux, plié sur un bâton.

— Et celui-là, le petit bébé ? C'est Jésus ? Pourquoi il détourne la tête du sein de la Vierge ? Il aime pas son lait ?

— Non non, c'est pas Jésus, ça, c'est saint Ange. Regarde, sa mère est très âgée ! C'était une juive convertie, et on dit qu'elle était tellement vieille qu'elle aurait pu être son arrière-grand-mère !

— Ah bon ! Et c'est pour ça qu'il détourne la tête, parce qu'elle est vieille et moche ?

— Maya ! Tu devrais avoir plus de miséricorde pour nous autres vieux... Non c'est parce que, tout bébé déjà, saint Ange se mortifiait. Il refusait le sein maternel chaque vendredi, par esprit de pénitence.

— C'est pas vrai !

— Et alors ? Notre capacité de dire des choses pas vraies, n'est-ce pas l'orgueil de notre espèce ?"

J'ose pas le contredire, oncle Lucien, il est trop bardé de diplômes et de gentillesse, mais enfin, les papillons mentent bien, eux aussi... C'est quoi, l'homochromie ? c'est quoi, la livrée dissuasive, si c'est pas du mensonge artistique ? Le *Caligo prometheus*, par exemple, qui proclame à ses ennemis : je suis une tête de chouette, je vais vous manger ! Ou la *Samia cynthia* qui ressemble à un dragon épouvantable ! Orgueil de notre espèce, mon œil.

"Et celle-là, qui c'est ? elle est *affreuse* !

— Ça c'est sainte Germaine Cousin, une petite bergère de la Haute-Garonne. Elle était si laide et difforme que son père et sa belle-mère la traitaient comme un chien, la faisant dormir dans l'étable et ne la nourrissant que de pain sec. Son travail était de garder les moutons de son père. Chaque jour elle s'absentait deux heures pour assister à la messe, demandant à Dieu de surveiller le troupeau pendant ce temps. Et elle n'a jamais perdu un seul mouton !

— Je savais pas qu'il y avait tant de saints ! s'exclame la libellule. Moi je connaissais que les quatre évangélistes et puis Jeanne d'Arc !

— Non, il y en a des centaines, dit Lucien. Certains célèbres et d'autres obscurs. Moi j'aime bien peindre la vie des petits saints de rien du tout."

Mais la sauterelle vient de sauter :

"Maintenant c'est moi qui vais te raconter quelque chose !"

Elle file dans la pièce à côté où se trouve le piano, et quelques secondes plus tard les notes commencent à nous titiller les tympans : jamais entendu ça, c'est comme une chose qui arrive, qui t'arrive, te tombe dessus et tu n'y peux rien, c'est comme les vers à soie quand ils se mettent à cracher leur bave, ils se dressent comme ça et balancent la tête de droite à gauche en faisant des 8, comme Lucien fait des 8 en ce moment avec son blaireau pour harmoniser les zones claires et les zones plus foncées, il reprend le gros pinceau et passe une couche claire de grisaille, le pinceau fin pour les visages, puis le blaireau à nouveau, faut faire vite, faut être sûr de soi, on dirait que ses mains travaillent toutes seules, commanditées de loin, pas de sa tête mais d'un autre lieu, d'on ne sait où, comme les vers qui font la soie si fine et forte sans le savoir, et comme ces notes qui arrivent de très loin elles aussi, d'un autre monde, si sûres d'elles et de ce qu'elles racontent, c'est incroyable...

Bon, c'est pas tout ça, faut que j'aille les voir mes vers, que je leur donne leur boustifaille quotidienne... C'est dingue ce qu'ils peuvent être gloutons !

LUCIEN

Elle aurait été contente, Annette, d'entendre jouer son piano de cette façon. Je ne dis pas qu'elle *est* contente, je n'arrive pas à me faire ce plaisir-là, à l'imaginer là-haut en train de suivre chacun de mes faits et gestes, c'est la chance des croyants de vivre avec les morts, nous autres professeurs éclairés laïques modernes on est obligés de se contenter de nos souvenirs.

Formidable fillette. Presque pas un être de chair et d'os. Et si vivante, pourtant !

Annette serait bien étonnée de me voir comme je suis en ce moment, entouré de morpions, assis au milieu de tous ces bouts de verre brisés et bariolés, cette mosaïque où se dessinent et se désintègrent des formes et des histoires... Voyage multicolore à travers les images des saints... Pourquoi les saints chrétiens ? me demanderait-elle, si elle était là, mais elle n'est pas là mais elle n'est pas là mais elle n'est pas là. C'est une question pratique, lui répondrais-je. Tu comprends, les vitraux dans ce bas monde c'est pour les églises, et les églises dans ce pays sont chrétiennes, alors si je veux que d'autres personnes partagent ta lumière, Annette, mais je ne lui parle pas, je parle à moi-même, eh bien il faut que j'accepte d'entrer dans la mythologie ambiante. Ce n'est pas si difficile... les saints, c'est souvent des petites gens comme toi tu les aimais.

Maya a cessé de jouer. Je ne l'entends plus du tout, elle a dû aller rejoindre Benjamin dans le jardin.

"Il y a quelqu'un ?"

C'est sa mère... Lara. Cette belle femme, "encore belle" comme on dit, mais cassée. De grands yeux affamés, torturés. Je me montrerai affable, sans plus. Je n'ai pas envie de recommencer, tenter à nouveau de comprendre un autre être. C'est toujours compliqué à nos âges, on a accumulé trop de bagages, divorces, deuils, désirs bafoués... Je ne veux plus entendre que des histoires simples, pures et vives comme mes couleurs. Les histoires des saints et des enfants. Des histoires qui permettent d'espérer.

"Je vous ai apporté une tarte aux quetsches... enfin, une demi-tarte ! Je l'ai faite hier soir et je me suis dit que... pour le goûter des enfants...

— Asseyez-vous, je lui dis.

— Et quelques roses du jardin, elles étaient sur le point d'éclater et d'éparpiller leurs pétales sur la pelouse...

— C'est trop gentil. Elles sont bien épanouies, en effet." Je ne me lèverai pas pour chercher un vase, je déteste qu'on coupe les fleurs, qu'elle se débrouille avec. Mais elle peut rester regarder, bien sûr. Si elle veut.

Elle s'assoit et m'observe en silence.

C'est dangereux, le silence, entre un homme seul et une femme seule.

"Maya est dehors avec Benjamin, lui dis-je. Je crois qu'ils sont en train de mesurer les vers à soie. Saviez-vous qu'ils multiplient leur taille par mille en l'espace d'un petit mois ? Au départ les œufs sont presque invisibles, on peut en mettre des dizaines de milliers dans une boîte à cigares. Mais quand ils dévorent leurs feuilles de mûrier, on peut quasiment les voir grossir à l'œil nu. Quelques semaines plus tard, chaque ver est long comme votre pouce, c'est quelque chose d'ahurissant. On dit que les enfants grandissent vite, mais comparés aux vers à soie…"

Ça va, je ne suis pas nerveux, elle ne me dérange pas, je suis content de le constater. Je continue de lui parler tranquillement, tout en découpant mes pièces de verre à l'aide des calibres correspondants – avec plus de cinq cents pièces pour les trois vitraux, ce n'est pas le moment de m'emmêler les pinceaux. "Votre Maya est un mini-miracle, lui dis-je encore. Mais vous le savez, bien sûr. Avec ma femme on n'a pas voulu d'enfants, on a préféré rester un peu enfants nous-mêmes, c'est-à-dire égoïstes et hédonistes, on a beaucoup voyagé ensemble… Mais ça doit être quelque chose, de vivre avec une magicienne pareille… Vous l'avez initiée vous-même au piano ?

— J'ai envie de vous embrasser", dit Lara. Je lève les yeux et je vois que c'est un être comme ça, un être qui n'a rien à perdre et qui est définitivement indifférent aux convenances, au qu'en-dira-t-on et le reste. Pas mon genre, pas mon genre du tout. Avec Annette on croyait dur comme fer au mariage et à la monogamie, on se pliait joyeusement aux rites prescrits par notre société en se disant qu'ils valaient bien une messe et que l'être humain avait besoin de structure. Mais comme je ne veux pas blesser cette belle femme, je me lève par politesse et je la prends dans mes bras.

La première fois, une femme dans mes bras, depuis.

Ça me fait drôle. C'est elle qui m'embrasse, passionnément, je crois qu'on disait, et ça ne me fait que drôle. Je la serre un peu plus fort contre moi, pour la prévenir que je vais bientôt m'écarter, puis je m'écarte et lui effleure la joue de mon index.

Ses yeux… beaucoup, beaucoup trop amoureux. Comment lui expliquer que c'est au-delà de mes forces ? Que je veux bien être gentil, mais… Oh ! tout ce que je veux maintenant c'est de vivre comme un saint, quelqu'un d'apaisé, sans désir et sans angoisse. Avec Annette…

“Pardon, fait-elle, en souriant et en baissant les yeux. Vous étiez si beau, assis là comme ça… je n'ai pas pu résister. Ne m'en veuillez pas… C'est curieux, c'était comme si une chaleur émanait de vous… Ça m'a fait du bien. Vous êtes gentil, vraiment… Allez, je vous laisse !”

Elle a compris, puisque ses joues rosissent joliment et que ses yeux acceptent de détourner de moi leur demande infinie… Elle sort sur la véranda arrière.

"Maya ! Ne tarde pas trop, chérie. N'oublie pas que tu as ton travail à faire…"

Et, descendant les quelques marches, elle me fait signe de la main et s'éclipse par le trou dans la clôture.

BENJAMIN

Accroupie, genoux près des oreilles, la sauterelle suit de près mes travaux d'assassinat. Yeux grands ouverts mais bouche fermée. En général elles font l'inverse les filles, elles ferment les yeux et ouvrent la bouche : "Berk !" elles disent. "C'est dégoûtant !", "C'est méchant !" et cetera. Mais Maya, non. Elle est calme et concentrée, elle veut comprendre ça, voir ça, la mort. Je commets mes meurtres avec douceur et doigté car il s'agit de pas abîmer les spécimens. Fier de pouvoir lui montrer mes trouvailles de la journée : cinq citrons de Provence, deux *Parnassius apollo*, un superbe sphinx de laurier-rose et même un sphinx tête-de-mort.

Elle admire la délicatesse de mes gestes avec l'éther.

"Tu peux voir la mort ?" demande-t-elle. Bonne question. D'abord ils ne sont qu'assommés, bien sûr, comme un être humain pendant une anesthésie générale. Ensuite ils passent l'arme à gauche mais c'est pas évident de deviner l'instant où leur âme s'envole pour le paradis des papillons...

Et : "Ils ont quoi comme cerveau ?" J'en sais rien, à vrai dire. Pour son âge, pour son sexe surtout, elle pose des questions pas bêtes.

Ça l'a vachement impressionnée d'apprendre que la soie c'est de la bave. "Toutes ces belles femmes couvertes de bave ! Tu te rends compte ?" Et elle s'est mise à rire, à rire – mais c'était sympa son rire, un truc vrai, pas comme les pseudo-crises d'hystérie des pisseuses à l'école. Elle trouvait ça franchement comique, et moi aussi, peu à peu : que les femmes les plus élégantes du monde se paradent fièrement dans de la bave sécrétée par de gros vers disgracieux... c'est bidonnant, quand on y pense !

SOFIA

Mais pourquoi Larissa ne laisse pas sa fille tranquille ? Elle sera bientôt prise en charge par Dianescu, elle peut passer l'été à jouer quand et comme elle veut, non ? Cette *Ballade n° 2* de Chopin devient un vrai champ de bataille. A les écouter se disputer là-dessus, j'ai la tension qui monte en flèche, je le sens. Mon cœur bat la mesure dans mes tempes. Du calme. Attention, mon Dieu, je T'ai dit que je n'étais pas encore prête. Allons... chauffons un peu de vin rouge et écrasons quelques gousses d'ail... *Aah !* enfin assise ! Doucement doucement... Aïe aïe aïe c'est brûlant ! Buvons à petites gorgées, tout en les écoutant...

"Mais qu'est-ce qu'il *dit* Chopin, dans ce passage ? demande Larissa. Qu'est-ce qu'il cherche à *exprimer* ? N'oublie pas que tu parles aux autres quand tu joues, tu partages quelque chose avec eux ! C'est à cela que servent les nuances, les *rubati*... Regarde, c'est écrit *crescendo* ici, puis *diminuendo* – et là, tu es censée ralentir légèrement avant de reprendre *a tempo*... Essaie de comprendre l'effet qu'il a voulu produire..."

Et de jouer le passage en question. Certes, c'est expressif, c'est impeccable, on ne peut pas dire le contraire. Mais la petite n'en démord pas.

"Pour moi, dit-elle, c'est pas comme ça.

— Mais tu ne penses pas aux auditeurs, à ce qu'ils vont ressentir en t'écoutant ! La musique, c'est… comme un cadeau que tu peux leur faire…

— Je sais pas, dit Maya. Mais moi je l'entends mieux comme ça !"

Et de jouer le même passage platement, sobrement, en laissant les notes dire seules ce qu'elles ont à dire, sans que l'âme béante les bouscule, sans que des torrents de larmes les charrient, sans que la pédale en grossisse le sentiment. Et il n'y a rien à dire. C'est Maya qui a raison. Plus raison encore que Chopin, si ça se trouve. Implacable, son interprétation.

Ah ça fait du bien, le vin à l'ail. La tension est montée d'un cran dans la pièce à côté mais elle baisse, malgré tout, dans mes artères.

LARA

Tu es si petite, je suis si petite mon ange, le piano est ma maison, un immense château tout noir, il fait nuit noire à l'intérieur, comme dans ton ventre, comme dans mon ventre, mais tellement dur, tellement vaste, et ça vibre de façon effroyable, le bruit résonne dans mes oreilles, dans tout mon corps, *boum, boum, boum, boum*, assourdissant, les marteaux frappent, ce sont les coups de mon propre cœur, n'aie pas peur, n'aie pas peur Larissa, Maya, les marteaux s'élèvent au-dessus de ma tête comme d'horribles oiseaux préhistoriques, ils me guettent, ils attendent pour fondre sur moi, je marche le long des cordes, ce sont des fils électrifiés qui vibrent, me transmettent leur vibration insensée, et entre chaque corde un trou profond, un abîme, il faut à tout prix que j'échappe à ces marteaux, je trébuche, je vais tomber, je m'accroche, je n'arrive pas à respirer, accroche-toi, ma petite, je t'en supplie, *accroche-toi, respire !*

SOFIA

Elle n'en peut plus, Lara, d'entendre l'implacable *Ballade* de la petite. Elle se dirige à grands pas vers la cuisine pour fuir sa fille et elle va se retrouver nez à nez avec sa mère, aïe aïe aïe la pauvre, j'y peux rien.

Elle traverse jusqu'à l'évier, fait couler de l'eau au robinet et boit un grand verre pour se donner une contenance. Moi je fais mine de n'avoir rien vu, rien entendu, tout occupée que je suis par mon vin à l'ail, mais les coulées chromatiques de la *Ballade n° 2* continuent de nous arriver du salon. Larissa se regarde fixement dans la petite glace au-dessus de l'évier. Que voit-elle ?

"Tu as encore de l'hypertension ? me dit-elle, en se retournant soudain. Tu ne veux pas que j'appelle un médecin ?

— Ma chère, que je lui réponds (mais elle connaît d'avance ma réponse, et de toute façon elle ne m'a posé cette question que pour s'aider à revenir du trouble où le jeu de Maya l'a plongée), je mourrai le jour où Dieu l'aura décidé, et tous les médecins de la terre n'y changeront rien."

Elle n'écoute même pas. S'assoit en face de moi à la table de la cuisine, allume une de mes cigarettes, une de mes suaves Balkan Sobranies, et me tend la jolie boîte plate et blanche. Pendant un moment nous fumons ensemble sans rien dire.

La *Ballade n° 2* prend fin. La porte d'entrée s'ouvre et claque. Sortie, Maya. Filé chez les voisins.

Silence.

Alors je décide de prendre le taureau par les cornes. J'ai toujours été partisane de la franchise.

"Ma dotchenka...

— Quoi ?

— Tu ne vas pas être jalouse de ta propre fille, j'espère ?"

Larissa continue de fumer en silence. Elle fixe la table.

Enfin, sans lever les yeux vers moi, elle dit d'une voix ferme, froide: "Jamais je ne serai jalouse de ma fille."

LUCIEN

Saint Martinien était plus fortiche que moi. Lui, le veinard, est sorti victorieux de toutes ses tentations. Les plus belles femmes s'offraient à lui et proposaient de l'épouser, mais à chaque fois Dieu intervenait *in extremis* pour le sauver ; ensuite, tout seul en pleine mer, Martinien passait des années debout sur un rocher, pour se sanctifier. Où est mon rocher, Annette ? J'étais persuadé que la pensée de toi me servirait de rocher pour le restant de mes jours, mais... Oh tu ne m'en veux pas, je sais bien. Je n'arrive même pas à me sentir coupable. Je suis faible, c'est tout. Je cède.

Depuis quinze jours, Lara vient ici chaque après-midi. Elle vient dans mon atelier, me regarde travailler et écoute mes salades de saints, ne parlant presque pas, ne faisant même plus semblant d'être normale, la gentille voisine serviable – non, elle vient tout simplement, avec ses beaux yeux pleins de vide, au bout d'un moment elle s'approche et s'installe par terre à mes pieds, se lovant contre mes jambes comme un chat, à dix-sept ans ce serait un geste touchant, charmant, mais à quarante-cinq ans ça dit tout autre chose, alors je lui flatte le dos comme un chat, je lui caresse les cheveux, et parfois, après avoir vérifié que Benjamin et Maya sont bien dehors en train de disséquer des scarabées au fond du jardin ou de se pousser l'un l'autre sur la balançoire, je l'amène dans mon lit. Ça ne me coûte rien, un peu de tendresse, et elle en a tellement besoin. C'est doux. Elle pleure, parfois. Je la tiens dans mes bras après, comme une petite fille.

On ne se pose pas de questions. On ne se raconte pas nos mariages respectifs. Ce que nous sommes en train de vivre ensemble ne peut guère s'appeler une histoire. Ça ne s'inscrit pas dans nos histoires, c'est à part. Une étrange sensualité toute baignée de tristesse. Je préférerais… oh, et puis, ce n'est qu'un moment. D'ici un mois, début septembre, tout rentrera dans l'ordre : Benjamin retournera chez lui, Maya à l'école, Lara au Conservatoire, et moi je me retrouverai seul avec mes saints et mes souvenirs… comme je crois le souhaiter.

LARA

Une machine suit les battements de ton cœur, une autre le rythme de ta respiration, une autre encore ta température, la teneur des gaz de ton sang, les machines battent la mesure et nous dansons avec elles, un deux trois, un deux trois, c'est une valse ma petite Maya…

Mais le jour viendra.

Le jour viendra où, au beau milieu d'une répétition avec le quintette, j'aurai un blanc.

Noyade dans la blancheur de l'aube, tout est blanc ici, les murs, les plafonds, les habits, les draps… Comment ? quand ? où suis-je ? dans quelle mesure, quelle tonalité, quel tempo… Perdue, perdue. Mes doigts sur le clavier… Que suis-je en train de faire ? *Où est la musique ? Où est la musique ?*

Où en étions-nous ? Reprenons à la mesure 124 pour Lara s'il vous plaît, s'il vous plaît, tout le monde, pour Lara s'il vous plaît tout le monde…

Détachant les mains du clavier, les contemplant et sombrant dans un blanc total, glacé : *à quoi ça sert, ça ?* Je ne reconnais pas mes mains, n'ai plus la moindre idée de leur fonction. Oh, cela ne dure que quelques instants, les autres s'en aperçoivent à peine, ils s'impatientent un peu, c'est tout, en répétant : "Tu y es ? On y va, c'est bon ? 124 ?"

Difficulté atroce pour revenir à la partition, me secouer, me rappeler le but de cette réunion… *Est-ce bien cela, la musique ? Vous en êtes sûrs ?*

ALEXIS

Venu pour ma leçon du mois d'août avec Mme Mestral. A vingt-quatre ans je dois être, sinon son élève le plus vieux, du moins le plus ancien. J'ai mes propres élèves au Conservatoire et il est même possible que je donne plus de concerts qu'elle, mais je tire encore grand profit de nos leçons.

Là, par contre, non. Pour la première fois, je sens que Mme Mestral ne m'écoute pas, qu'elle est ailleurs. Je suis en pleine effervescence lisztienne, je joue comme un fou, sans partition – et pendant ce temps elle regarde par la fenêtre, absente. C'est blessant.

Quand je termine le morceau, elle ne sait pas quoi me dire. Troublée, elle me demande de reprendre un phrasé ici, un arpège là. Elle essaie de me montrer comment faire… mais s'interrompt presque aussitôt, se frotte les doigts et les poignets, se plaint de rhumatismes. Elle n'est pas vieille, pourtant… Sa mère, si ; sa mère commence à être carrément décrépite. Elle erre dans la maison en pantoufles, le chignon défait, les cheveux épars flottant derrière elle, j'ai l'impression qu'elle écoute aux portes, qu'elle épie sa fille et sa petite-fille… la minette aux grands yeux noirs… celle qui est née le fameux jour… quel imbécile j'étais, à l'époque ! Je n'y connaissais rien, aux diverses étapes d'un accouchement ! J'ai vraiment cru que Mme Mestral avait fait pipi sous elle !

Cette maison commence à me donner les jetons. Je vais peut-être cesser de venir pendant quelque temps. Essayer de me débrouiller seul avec Liszt.

MAYA

"Maman ! mamotchka ! Tu veux bien que Benjamin et Lucien viennent dîner à la maison demain soir ? Ce serait super, non ? D'accord ? Je vais les inviter. Dis, t'es d'accord ?"

SOFIA

J'aime ça les grandes tablées, j'aime poser sur la table la lourde casserole en fonte et entendre les "Ooh !" admiratifs quand j'ôte le couvercle et qu'ils voient mon ragoût de poulet aux oignons et sentent son fumet. Ça faisait longtemps qu'on n'avait plus eu d'invités à la maison. Depuis avant le départ de Robert, peut-être.

Ah ! ça me plaît le bruit des couverts qui tintent sur les assiettes, mêlé au bruit des voix, les différentes couleurs de voix qui s'entrecroisent comme les fils d'une tapisserie, hommes femmes enfants comme à Moscou jadis lors des déjeuners du dimanche, sauf qu'on mange mieux en France, bien sûr. Je verse le vin et le monsieur aux cheveux blancs, levant son verre, porte un toast à Cécile la sainte patronne des musiciens.

“On dit qu’elle est morte trois jours après son mariage, pour avoir prononcé un vœu de virginité… et qu’en ce peu de temps, elle avait réussi à convertir son mari, son beau-frère, ses bourreaux et quatre cents païens. C’est à ne rien y comprendre : puisque tout le monde était d’accord, pourquoi l’a-t-on tuée ?”

Maya babille sans arrêt, folle de joie, les yeux brillants, brûlants, on dirait que c’est leur électricité qui lui fait dresser les cheveux sur la tête… Le neveu, timide et gauche comme un garçon de son âge, rougit chaque fois qu’un adulte lui adresse la parole… Larissa charmante, faisant un effort pour être charmante, parle de la pluie et du beau temps… et le voisin peintre joue le jeu, il a l’air à l’aise avec elle et il est presque trop gentil avec moi, y aurait-il quelque chose entre ces deux-là ? Ils évitent de se regarder et leurs voix baissent d’un ton quand ils se parlent – oh ce serait une bonne chose, mon Dieu ! Si Tu peux, fais en sorte qu’ils tombent amoureux, ça ferait grand bien à ma Larissa – mais pas trop, si possible, pas une de ces passions dramatiques et déchaînées qui dévastent tout sur leur passage. Une amourette, mettons. Des caresses, des regards tendres, voilà. Ce serait bien que Lara retrouve ça une dernière fois, avant de basculer à jamais hors de la jeunesse.

On parle politique. Monsieur le peintre m'interroge sur l'Union soviétique. Sur l'excellence disproportionnée de ses musiciens. Sur les églises spoliées, les icônes à jamais volatilisées... "Personne n'a pensé à faire comme ici en France : sauver les objets sacrés en attendant des temps meilleurs ? Pendant l'occupation allemande on a enlevé les vitraux des cathédrales – Chartres, Bourges, la Sainte-Chapelle... Tout a été précieusement gardé dans des caves jusqu'à la fin de la guerre.

— Vous plaisantez ! lui dis-je. Les bolcheviks n'étaient pas une armée d'invasion étrangère, ils étaient parmi nous, dans chaque village. Des hordes de jeunes gens échevelés ! Ils faisaient irruption dans les églises pour pulvériser, fracasser, piétiner tout ce qui s'y trouvait... Et ensuite, devant les lamentations des petites gens, ils ricanaient... Ma mère m'a raconté. Après, vous comprenez, il a fallu qu'on apprenne à se tourner vers l'intérieur, à mettre notre foi en des choses invisibles. Les mots : poèmes appris par cœur, prières silencieuses. La musique. Les mathématiques.

Les échecs. Voilà les dieux secrets des années communistes."

Ça m'a fait du bien de parler.

Après le dessert, alors que je prépare le café, le monsieur aux cheveux blancs se tourne vers Maya : "Tu ne veux pas nous jouer quelque chose sur un vrai piano ? Tu fais des miracles avec notre casserole, là-bas, mais ça me ferait plaisir d'entendre le Pleyel de près..."

Et Maya, ravie : "D'accord – mais avec maman ! Tu veux, mamotchka ? Si on leur jouait la *Fantasia en fa mineur* de Schubert... tu veux bien ? Dis oui !

— Oh, fait Larissa d'une voix étrange, baissant les yeux sur ses mains. J'ai trop bu, je crois, je n'y arriverais pas.

— Mais si mais si ! Tu peux jouer le *Secondo* si tu veux, ça ira tout seul ! Allez, on leur montre ?"

Nos deux invités échangent un regard. Ils ont dû saisir quelque chose. Ils ont dû comprendre que l'enjeu dépasse...

"Laisse ta maman tranquille si elle ne veut pas jouer, dit en souriant le voisin peintre. Joue-nous quelque chose, toi.

— Oh ! fait Larissa, prenant sur elle, si ce n'est que le *Secondo*, je devrais bien pouvoir y arriver quand même..."

Non ma fille. N'y va pas. Laisse faire. Laisse se terminer cette soirée dans la gaieté, la convivialité simple et bête. Ne te force pas à affronter tes démons. N'y va pas. C'est pas la peine…

Mais elle y va. Comme à l'abattage. D'un pas lourd. Je sais ce qu'elle est en train de penser, ma fille. *Le problème,* se dit-elle, *c'est que la musique avance, et que moi je ne veux pas avancer. Je la joue mais je ne veux pas aller avec elle : j'ai envie de la retenir, la garder pour moi, la serrer contre moi, la transformer en boule dure et me cramponner autour, me bâillonner avec.*

Les voilà côte à côte, serrées l'une contre l'autre sur le banc du beau Pleyel. Il faut bien se connaître pour jouer cette *Fantasia* ; c'est une expérience intime. La main gauche du *Primo* vient souvent s'immiscer parmi les doigts de la main droite du *Secondo* et vice versa…

C'est Larissa qui, jouant seule au début, décide du mouvement du premier *Allegro*… Ah c'est parfait, ça va, je respire, je peux me laisser aller à l'écoute. Les premières mesures se déroulent sans accroc, limpides, la basse pleine et calme comme un étang dans la brume et puis cette mélodie de Maya qui se détache, simple et répétitive comme un chant d'oiseau. Puis vient le *Largo* avec ses accords claudicants, lourds de menace… Mais ensuite, quand arrive l'*Allegro vivace*, Maya ne se retient plus. Elle part à une allure démente et Lara, perdant pied au bout de quelques mesures, commence à savonner des traits… Elle persiste quand même, s'évertuant à suivre le rythme de sa fille, ou au moins à sembler s'amuser de sa défaite… Mais soudain elle ne sait plus. Ses doigts s'embrouillent et s'enlisent, plaquent trois ou quatre accords aberrants – et s'immobilisent au-dessus du clavier, comme horrifiés. Puis retombent inertes sur ses genoux.

Maya continue seule un moment, incapable de s'arrêter, entraînée par le pur plaisir de ses doigts qui font des cabrioles… puis elle s'arrête et pouffe de rire. Jette ses bras autour de sa mère et s'exclame : "Ouaaah ! on s'est bien amusées, hein, pendant un moment ?!"

Et nos deux invités d'applaudir, de ces applaudissements forcés et maladroits qui suivent un exploit bâclé. Peu après, ils se lèvent pour prendre congé.

"Allez ouste, Maya ! je fais. Il est tard, tu as vu ? Onze heures passées ! Va vite mettre ton pyjama ! Ce soir, tu n'auras droit qu'à une toute petite histoire."

Se secouant, Larissa quitte enfin le banc du piano et commence, avec des gestes de somnambule, à débarrasser la table.

MAYA

Ah ben d'accord, si elle va me raconter une toute petite histoire, ma babouchka, je vais lui jouer un tout petit morceau, tout petit petit, regarde, ça commence avec quelques notes à peine, ce *Mikrokosmos* de Bartók, c'est presque inaudible, il faut tendre l'oreille pour comprendre ce qui se passe. C'est comme une mouche qui bourdonne, agacée parce qu'elle vient de se prendre une patte dans la toile d'une araignée, zut alors, c'est embêtant, une patte collée puis deux puis trois, je vais raconter ça demain à Benjamin, ça le fera rigoler, et puis le faucheur qui arrive sans se presser, comme Zorro dans la chanson d'Henri Salvador, grand gringalet aux pattes aussi fines que son fil et, tranquille, se prépare au massacre. Il commence à emballer sa victime, lentement, sans état d'âme, sécrétant du fil, tournant autour, embobinant la mouche comme une momie dans ses bandelettes… Ecoute, babouchka ! C'est super n'est-ce pas, la minuscule danse macabre ? La mouche proteste, elle crie au secours, fort d'abord, puis de moins en moins fort, ses bourdonnements s'espacent, c'est un mini-mini-massacre auquel on participe, mais…

Qu'est-ce qui… ?

Maman, en bas, qui… *quoi ?*… s'est remise au Pleyel et joue à toute berzingue le *Carnaval* de Schumann ! Déferlement d'arpèges, furieux tourbillon d'accords, et mes insectes sont emportés par ses torrents de son, noyés, broyés dans le fracas…

J'arrête, j'entends plus rien de ce que je joue.

"Pourquoi elle fait ça, mamotchka ?"

LARA

Où est la musique ? Où est la musique ? Où est la musique ? Tout ce que je sais c'est que moi je suis ailleurs, jamais au même endroit qu'elle, pas dans la musique mais dans l'effort, tant d'années d'efforts, répéter répéter répéter répéter, inscrire les doigtés et rerépéter, tenter d'enchaîner, méticuleuse appliquée éperdue, essayant de "bien faire", me livrant à des acrobaties désespérées pour épouser les mouvements de l'âme humaine, me sachant dotée de *beaucoup de talent* – comme c'est peu ! – et sentant à chaque instant, derrière ce talent, la peur nue et crue…

Alors que ce dont il s'agit, c'est la joie !

Cette proie. A jamais hors de ma portée.

Je suis sur la banquise, je cours, je tombe dans la neige encore et encore, il fait un froid glacial, Maya, un froid mortel et on n'arrive pas à maintenir la température des corps, pour l'instant tu dois rester dans la couveuse, je mourrai avant d'atteindre la musique. Le piano est loin… tu le vois ? tout là-bas à l'horizon, le beau Pleyel noir, point minuscule dans l'espace nu et blanc de la neige et du gel que je dois franchir… Puis la musique commence à tout envahir – le ciel, la banquise, l'univers –, assourdissante, elle dit les retrouvailles, les semailles, les jouissances et réjouissances, les agapes des dieux mais moi je suis là à patauger dans la neige, je n'arrive pas à la rejoindre…

Toi Maya tu la trouveras, sans avoir eu à la chercher. Tu joueras comme si tu n'avais ni mains ni piano ! comme si tu ne touchais même pas le clavier mais *la musique*, directement ! comme si, d'emblée, tu dansais dans l'au-delà ! Oui ma fille, car tu n'atterriras jamais tout à fait. Tu resteras en contact avec les limbes des premiers jours. Les vibrations des machines froides se mueront en fugues de Bach, l'extase sera ton oxygène.

Il suffit de te regarder, de t'écouter, c'est évident : tu n'es pas des nôtres. Tu n'as rien à voir avec la glaise, la pesanteur humaines. Tu ne joues pas pour nous. Tu joues pour la musique.

SOFIA

Ecoute-moi, mon Seigneur, il ne faut pas laisser les choses se gâter ainsi. Je n'ai aucune idée de ce que Tu mijotes en ce moment, mais ça s'annonce plutôt mal. Et je ne serai pas éternellement là pour calmer le jeu.

Quelle fatigue. Quelle fatigue, bon sang. Dans chaque parcelle de chair on sent s'accumuler le poids des années… Cette enveloppe terrestre devient si lourde, si affreusement lourde à porter… Normal qu'on aspire à la quitter et à retrouver la légèreté des anges. *Où est la musique ?* Qui a dit ça ? *La musique est comme le mot adieu dans la bouche d'un vieillard*. Je ne me rappelle plus. Tant de citations maintenant qui m'encombrent la mémoire… Cerveau poubelle, cerveau capharnaüm…

Tout ce que je Te demande, c'est de laisser intact le talent de Maya. Ça va ? C'est trop beau le don que Tu lui as fait, il ne faut pas le laisser abîmer par les vicissitudes, la réalité qui ronge. Je sais que Tu peux être un sacré farceur quand Tu t'y mets. Je n'ai pas oublié Olga l'accompagnatrice de Seriojka, qui a reçu sur les doigts de la main gauche tout le poids d'un piano à queue. Un piano qu'elle aidait à déménager parce qu'à l'époque il ne fallait pas qu'il y ait de coupure entre les artistes et les gros bras. Amputation de l'index et du majeur. Je n'oublierai jamais le jour de sa sortie de l'hôpital, quand elle m'a saluée sans un mot en brandissant cette main incomplète… Oui oui, je sais ! le malheur que Tu nous envoies, c'est toujours pour nous apprendre quelque chose : la patience, la foi transcendante, ainsi de suite… Mais, mon Seigneur, moi qui Te parle, je trouve que j'ai été excessivement patiente et raisonnable ; toute ma vie j'ai appelé de mes vœux ce genre de miracle et maintenant il est là, le talent de Maya, alors Tu peux détourner le regard aller T'occuper d'autre chose pendant quelques décennies, d'accord ?

ROBERT

Elle n'avait jamais fait ça, Lara, me téléphoner au milieu de la nuit. Cette sonnerie déchirant mon rêve comme une sirène, la sirène de toutes les alertes du monde, incendie, assassinat, émeute, bombardement allemand, catastrophe nucléaire, je me demande à quoi ça correspond dans le cerveau, quelle partie du cortex est stimulée par ce bruit stridulant qui nous informe : *ça ne va pas ?*

Quelque part dans le monde, ça ne va pas.

Nathalie vraiment pas contente. “Elle exagère, ton ex, elle n'a aucun respect pour notre intimité, elle ne se souvient pas que le juge a prononcé votre divorce il y a *huit ans* ? Pourquoi c'est toujours vers toi qu'elle se tourne ? Pourquoi elle n'appelle pas le SAMU ou SOS-Amitié, pourquoi toujours toi ? Et à une heure du matin en plus, franchement, elle se gêne pas ! N'y va pas, Robert, je te préviens. Si tu y vas, ça va mal se passer…”

Je suis venu quand même bien sûr, sautant dans mon Alfa et avalant cinquante kilomètres de nuit noire en une demi-heure, je n'avais pas le choix. Lara est un absolu dans mon existence. C'est ainsi. Je ne peux ni l'expliquer, ni le justifier.

La sirène ne mentait pas. En effet, ça ne va pas. Recroquevillée dans un fauteuil, en chemise de nuit, les jambes croisées, nouées, la voix nouée, Lara allume une cigarette sur l'autre et me parle. Ses propos décousus m'effraient.

LARA

Oh, dormir ! Te retrouver Maya, toujours, toujours minuscule ! Je n'aime pas le matin, la lumière du jour qui revient. Schumann l'a compris, Robert, ce cher Robert dont les *Chants de l'aube* étaient ceux de la folie, ceux de l'asile. Atroce déception quotidienne que le réveil : avoir à délaisser le sommeil si riche en couleurs, en dimensions, en significations, pour la pâle pauvreté du réel, où l'on n'a d'autre choix que d'avancer, mettre bêtement un pied devant l'autre… Chaque matin la Chute. Chassés d'Eden et condamnés à traîner notre poids, notre nudité, notre douleur. *Où* me blottir ? *Pourquoi* se réveiller ? De quel droit me force-t-on… ? Les coqs ont raison, qui hurlent en apercevant les premières lueurs de l'aube. Moi aussi, le lever du jour me donne envie de pousser des cris perçants. Se retrouver ici et maintenant, c'est un scandale. Je voudrais tant être alors, dans le blanc de la chambre et le blanc des draps, la translucidité de la peau et la chaleur de mon regard sur l'enfant minuscule que je tiens sur ma poitrine, à qui je parle, et qui a besoin de moi. Seul le sommeil est capable de m'y ramener. Or le sommeil me fuit.

Je ne supporte plus de l'entendre ! Cinq, six, sept heures par jour, la musique jaillit d'elle – cascade limpide et lumineuse, infiniment renouvelée… D'où vient toute cette eau claire, mon Dieu, toutes ces notes claires ? Cela ne s'arrêtera-t-il jamais ? Si je lui promets dix mille macarons, des kilos de chocolats, des litres de limonade, ne cessera-t-elle enfin de jouer ? ne s'interrompra-t-elle, au moins le temps que je reprenne mon souffle ?

De l'avant… toujours de l'avant… inexorable… Ses voix ne chantent pas ensemble, ne tendent pas la main les unes aux autres, ne consolent le cœur ni ne caressent le tympan. Elles sont souveraines et impitoyables, insolentes dans leur perfection séparée. Sa musique m'asphyxie, m'obstrue l'âme, me tue !...

Quelle beauté ! Somptueuse et simple. Transparente, libre, autonome. Une beauté qui ne veut rien savoir de nous, qui se moque de nos destinées miteuses et étriquées. On ne saurait l'entendre ni la saisir. Elle passe. Elle *est* passage : frêle dentelle arachnéenne tendue entre nous et le néant. Beauté intolérante, intolérable. Plaie, et baume sur la plaie. Temps pur, mortalité pure, advenant et repartant sans laisser de traces. Tout comme moi. Mon cœur bat, bat, bat la mesure : pourquoi ? pour cesser de battre. Pour que le silence rejoigne enfin le silence. Nous sommes à peine là. Notre temps est compté. Ecoute-le : il se compte ! Nous mourons ! Voilà ce que la musique fait oublier et fait éclater dans le même moment.

Ce goût métallique, ce goût de fin du monde qu'a le monde. Du tungstène sur la langue.

ROBERT

"Lara, lui dis-je. Lara ma chérie. Mon amour."

Je répète ces mots des heures durant. Je reste avec elle jusqu'à l'aube, serrant ses mains dans les miennes, caressant ses joues que ne mouille aucune larme. J'embrasse ses lèvres, son front, sa nuque, je la presse contre mon corps, elle est brûlante.

"Lara, ma Lara, ne te tourmente pas ainsi. Tu es fatiguée, mon amour, c'est la fatigue qui te fait voir tout en noir. Tu as besoin de te changer les idées." Je sais mon vocabulaire limité, insuffisant. Il ne s'agit pas d'idées à changer. Que faudrait-il changer ? La vie, le monde, je ne sais... Comment le dire avec des mots ? Il faudrait être non pas biologiste mais poète ; je ne suis pas à la hauteur. L'intensité de ce qui arrive ici me dépasse. Mais je reprends comme je peux : "Pars, si tu veux, lui dis-je. Aussi longtemps que tu veux. Je viendrai habiter ici, je m'occuperai de la petite, tu n'auras besoin de te soucier de rien.

— Non, non, dit-elle. Non. Je dois sortir de moi-même."

Curieux tout de même, ce "de" au lieu de "par" moi-même. Mais je ne relève pas car soudain elle s'affaisse contre ma poitrine, au bord de l'évanouissement. Bouleversé, je la prends dans mes bras et la porte jusqu'à son lit. C'est si facile de l'aider à ôter sa chemise de nuit et de me mettre nu près d'elle, pour elle. Aucun geste hâtif ni emprunté. Je suis dur, nécessaire, urgent, venant sur le corps de ma femme. Elle sait me trouver toujours, me retrouver, comme avant. Gémissant, je descends la rejoindre dans les affres où elle s'égare. "Lara !" je crie. "Lara !" tandis que nos deux corps glissent ensemble dans la sueur et le malheur.

Je ne comprendrai jamais la copulation entre humains. Que cet acte banal, fonctionnel, en principe destiné à la reproduction de l'espèce, puisse ainsi happer l'âme et la propulser hors du monde…

MAYA

Ce matin je vais lui faire plaisir à babouchka, je vais l'épater : entre neuf heures et onze heures trente, la sixième *Partita* de Bach par cœur, promis-juré. Babouchka se balance comme d'habitude dans la berceuse, faisant semblant de ne pas m'écouter, pas spécialement, de rêvasser comme une vieille dame qui perd un peu la tête, mais moi je sais qu'en fait elle écoute de toutes ses forces. Elle ne manque pas un trille, pas une nuance.

C'est bien, c'est bien, n'est-ce pas ?... Tu vois, je me sers même pas de la pédale, c'est pas la peine ! Ecoute, babouchka ! les notes avancent pour venir danser devant toi.

Ah ! tu vois ? C'est pas super, ça ? Déjà la *Toccata* : dans la poche ! J'ai même pas besoin d'y penser, je suis comme ce papillon qui tourne autour de ta tête en ce moment, il a été apporté ici par le rayon de soleil, je sais pas comment il a fait pour traverser la vitre... Peut-être qu'il est entré par la porte du jardin quand maman est sortie soigner ses roses.

Elle va nous faire un énorme bouquet aujourd'hui, tu peux en être sûre !

Mmm il fait beau, du soleil partout, j'aime tellement l'été – pas toi babouchka ? T'es contente, hein, d'habiter le sud de la France plutôt que dans ta vieille Russie glaciale ?! Mais j'aime bien tes histoires de neige et de glace ! Surtout celle de l'ivrogne, ça me fait rire chaque fois que j'y pense, quand tes parents sont revenus d'un concert une nuit du mois de décembre, il était minuit passé et il faisait moins quarante, c'est dingue, *moins quarante* ! Ta maman s'est dépêchée pour rentrer dans la maison mais tout d'un coup ton papa a vu un ivrogne couché dans la neige, endormi ! Alors il se précipite sur lui et se met à lui tirer sur le bras. "Venez ! dit-il. Réveillez-vous, venez dans la maison, ne restez pas là, vous allez mourir de froid !" Mais le type dormait, il devait être ivre mort parce qu'il ne bronchait pas, peut-être même qu'il était déjà mort, son bras était raide et dur comme du bois mais ton papa a continué de lui tirer dessus de plus en plus fort – "Réveillez-vous !" – et soudain, il a tiré si fort que le bras lui est resté dans les mains. "*Masha !* il hurle à ta mère, qui est ressortie sur le perron pour voir ce qui le retient. *MASHA ! JE L'AI TUÉ !*"... alors qu'en fait c'était une prothèse, c'est là que j'ai appris le mot *prothèse*, pour de vrai c'était un bras en bois, c'est génial, j'adore cette histoire, même si elle n'a pas de fin parce que tout le monde rit tellement qu'on oublie de demander ce qui s'est passé ensuite, est-ce que l'ivrogne a fini par se réveiller ou quoi... En tout cas dans Bach, pour moi, c'est toujours l'été, j'ai jamais compris pourquoi les gens disent que c'est froid, une fugue de Bach c'est la chaleur même – tu trouves pas, babouchka ? C'est comme quand je viens sur le canapé où maman est en train de lire et que je me pelotonne contre elle…

Ah zut, il m'énerve à la fin ce papillon, il me tourne autour et m'empêche de me concentrer. Je sais même pas comment l'attraper pour l'offrir à Benjamin. Faudrait que je le fasse sortir par la fenêtre… Babouchka ?

Jamais elle dort quand je joue. Elle se balance, elle fume des cigarettes, elle regarde par la fenêtre et pense à des histoires qu'elle me racontera après… mais dormir, non. "Babouchka ?"

Ah. Ça alors. Babouchka… Tu es morte, ma babouchka ?

Je viens tout près pour voir. Sa tête est tombée en avant. Eh ben oui. Tu es morte. C'est fini. Les nuits de Moscou dans la neige sont parties pour toujours. Je t'aime, ma babouchka. J'en étais à la *Sarabande* ? Ecoute…

Puis maman qui arrive du jardin, les bras pleins de fleurs. Pauvre maman, elle ne sait pas encore que c'est des fleurs pour un enterrement… Ses mouvements changent tout à coup. Elle a vu. Elle court jusqu'au rocking-chair pour vérifier. Le pouls, le souffle, c'est sûr. Elle est sûre maintenant.

"Maya ! me dit maman à voix basse. Maya… ta grand-mère vient de mourir."

Je fais oui de la tête, mais j'ai envie de jouer la *Partita* par cœur jusqu'au bout pour babouchka, comme je le lui ai promis. J'ai envie de les garder ensemble dans mon cœur à tout jamais.

"Pour l'amour de Dieu, Maya ! Tu n'as aucun respect ? *Cesse de jouer !* Comment peux-tu… Je te dis que ta grand-mère est morte… et pour toi ça ne change *rien* ?"

Elle éclate en sanglots et quitte la pièce en courant. Je la suis, je la trouve effondrée au milieu des fleurs qu'elle a posées sur la table de la cuisine.

"Mamotchka – pardon… Pour moi c'était ça, le respect…"

LUCIEN

Encore des funérailles enfumées. Tu te souviens de Bénarès, Annette ? Bénarès où nous avions vu tout à la fois, l'humanité vautrée dans la somme de ses extrémités charnelles, pataugeant dans la boue et la merde et la cendre, des milliers de gens accroupis au bord du Gange en train de faire leurs ablutions ou de déféquer, d'autres milliers pénétrant jusqu'au cou dans cette même eau sacrée pour se purifier, sur le rivage des dizaines de bûchers alignés où se consumaient des cadavres et, juste à côté, allongée parmi les lépreux, les mendiants, les vieux chenus aux yeux fous et les gamins affamés, une femme poussant et pleurant pour mettre au monde son bébé… Scène confuse et incompréhensible, rendue plus irréelle encore par la fumée âcre, omniprésente, étouffante, de bois et de chair brûlés – et puis le tumulte de cris, de lamentations et de prières scandées – vision de l'enfer ou alors tout simplement de la Terre, oui de la vie humaine sans apprêts, sans les rassurants oripeaux de notre culture familière…

En Occident, on sépare avec soin les différents moments de la vie. Il y a un lieu pour naître, un lieu pour déféquer, un lieu pour prier et un autre pour mourir… J'ai fait de mon mieux Annette, je me souviens, pour ne pas remarquer comme les croque-morts portaient facilement ton cercueil à travers l'église. Sans effort : il ne pesait rien, tant ta chair était déjà passée dans l'éther… La mère de Lara pèse lourd au contraire. Elle avait de la consistance, cette petite dame, de l'épaisseur. Nous ne sommes pas nombreux à la pleurer aujourd'hui. Robert et Lara assis côte à côte comme un vieux couple, se tenant par la main. Benjamin qui s'ennuie ferme : même pas un termite à se mettre sous les méninges. La petite Maya qui regarde droit devant elle d'un air très concentré – comme si, à travers la fumée de l'encens et des bougies, elle cherchait à déceler autre chose que les extravagantes dorures de l'autel. En dehors des membres de la famille, une toute petite poignée d'amis et connaissances… Mais le chœur : je suis sûr qu'elle aurait aimé ça, Sofia. Chants grégoriens. Les belles sonorités sombres de ces voix d'homme tonnantes, *a cappella*, surgies de là-bas, s'enchevêtrant dans l'air en une trame serrée pour porter son âme, l'accompagner jusqu'à sa destination finale.

Que ferions-nous sans ces images, Annette ? Même si on ne croit pas en la vie après la mort, les métaphores nous aident à supporter celle d'avant, ce qui est déjà beaucoup !

Un à un, nous partons. Ma mère. Mon père. Un de tes frères, deux de mes cousins et déjà combien de nos amis. Puis toi. Toi aussi, amour, tu es partie. Et on ne hurle pas au scandale. Non. On garde le silence. C'est ça le plus incroyable. Estomaqués par la douleur de leurs pertes successives, les vieux gardent le silence, le secret. Ils laissent jacasser les jeunes – comme eux aussi ont jacassé, jeunes. On ne s'attendait pas à ça, hein ? Certes, on savait que tout le monde devait mourir. Mais on ne savait pas à quel point, chaque fois, ça ferait mal. Le choc nous coupe le souffle, la parole, les moyens.

J'aimerais, moi, quand ce sera mon tour, mourir comme sainte Thècle. Elle guérissait si bien les malades, retirée dans sa grotte près de Séleucie, que les médecins de la région n'avaient plus de travail. Furieux, ils sont venus s'emparer d'elle, mais elle s'est précipitée vers un rocher qui s'est ouvert puis refermé : fin de l'histoire, belle fin.

BENJAMIN

Elle me dérange pas, la puce, elle écoute quand je lui parle. C'est chouette d'expliquer des trucs à des gens qui t'écoutent, je vais peut-être me faire prof d'entomologie en plus d'entomologiste.

Pas pimbêche pour deux sous, et pas froussarde non plus. Elle accepte que je lui pose dans la paume : vers de terre, chenilles, fourmis. La plupart des nanas s'arrêtent à la coccinelle. Ma petite sœur Poupette faisait du vélo l'été dernier, un papillon s'est posé sur son poignet et elle est devenue tellement foldingue qu'elle a lâché le volant et s'est étalée par terre, maman hélas venait juste derrière et lui a roulé dessus, résultat : une belle balafre en S sur le dos de pauvre Poupette, depuis la hanche droite jusqu'à l'oreille gauche, tout ça à cause d'un *Boarmia roboraria* de rien de tout.

Bref j'aime bien ça chez Maya l'abeille : elle écoute quand je lui explique des trucs et elle s'étonne quand c'est étonnant. Apprendre que les sauterelles ont des oreilles aux genoux, par exemple, que les moucherons s'accrochent sous les paupières des buffles pour en boire les larmes, que les lucioles s'éteignent petit à petit si on les transporte loin de chez elles – ça l'épate un max. Je lui ai dit que j'appréciais : "C'est bien de pas être blasée comme ça. Tu sais ce que ça veut dire, blasée ?

— Non !" qu'elle fait.

Elle est honnête en plus, ce qui est encore plus rare.

"C'est quand on s'étonne de rien.

— Ah oui ! ma grand-mère elle avait un remède pour ça ! Quand elle trouvait que les gens réagissaient pas assez à ses histoires, elle disait : Et le cheval blanc dans la baignoire, vous l'avez vu ?"

Rigolote, la puce. Aujourd'hui mes chers *Bombyx mori* sont à point, leurs quatre mues achevées, et je vais lui faire l'insigne honneur d'assister au filage de la soie.

"Tu vois, là… les chenilles sont en train de fabriquer leur cocon.

— Ouaaah !

— Ch-ch-chuut… ! Faut pas les déranger !

— Tu crois qu'elles nous entendent, pour de vrai ?

— Ah oui ! C'est des délicates, des ultrasensibles. Dans les magnaneries on les traite comme de vraies petites princesses. Il paraît qu'elles supportent ni les mouches ni les chiens, ni l'odeur de l'ail…

— Alors il faut pas que tu les amènes chez nous, ma grand-mère elle aimait tellement l'ail que la cuisine pue encore !

— Regarde comme elles vont vite, je dis au moustique émoustillé. Quand ça va bien, tu vois, quand elles sont en forme, elles crachent trente centimètres de bave à la minute, tu te rends compte ?

— *Trente centimètres ?*

— Ouep. Et quand elles ont terminé, ça fait un kilomètre de fil de soie par cocon.

— Non ! un KILOMÈTRE !"

J'aime, j'aime ça, son enthousiasme. Pas feint en plus. Elle a raison, quand c'est incroyable, faut le dire ! Juste à ce moment-là, la dame d'à côté passe la tête par le trou dans la clôture.

"Maya chérie… Je vais à la boulangerie acheter du pain, je reviens tout de suite…

— Tu peux prendre des macarons aussi ? S'il te plaît s'il te plaît, ça fait un siècle qu'on en a pas mangé !

— D'accord, je vais voir s'ils en ont. A tout à l'heure, tu rentres bientôt mettre la table ?

— Promis-juré. Dès que Benjamin a fini de me montrer ses vers à soie."

Je suis fier qu'elle me prenne au sérieux comme ça.

"Et maintenant, je lui dis, une fois que la maternelle s'est éloignée, on a une décision importante à prendre. C'est soit l'art, soit la vie. Choisis, toi. On peut pas avoir les deux.

— Qu'est-ce que tu veux dire ?

— Eh bien… si on veut que la chenille devienne un papillon, on la laisse déchirer son cocon et le fil de soie est foutu. Ou alors, si on veut garder la soie, il faut zigouiller la chrysalide.

— Comment on fait pour la zigouiller ?

— On l'étouffe à l'air chaud.

— Ça lui fait mal ?

— Quoi, parce que tu veux pas faire de mal à une chenille ?

— Non c'est pas ça, c'est juste pour savoir, quoi. Savoir ce qu'on fait.

— J'en sais rien, moi. On les entend pas pousser de cris, si c'est ça que tu veux dire. Alors ? Tu préfères quoi ?

— On pourrait peut-être en tuer la moitié, et garder les autres pour voir les papillons ?

— OK, si tu veux… Mais ils sont pas spécialement jojo, les papillons, je te préviens ! Ils sont petits et blancs, sans intérêt.

— Ça fait rien. Ça me fera penser à ma grand-mère.

— Ah bon. D'accord. Je vois pas la ressemblance mais pourquoi pas ? On y va ? Tu es prête ?"

LARA

Alors je sortirai dans la rue mon ange. Ce jour-là.

Et tout, et tout sera étrange. C'est pourtant le même été, un soir d'été comme un autre, n'est-ce pas chérie, même si, même si, comment dire, mes pieds ne touchent pas tout à fait le sol, et les choses me paraissent beaucoup trop nettes. Dans les contours des arbres contre le ciel je vois le dessin de chaque feuille, je suis consciente de chacune de mes respirations, chacun de mes pas sur le trottoir, j'ai l'impression de ne rien peser du tout et ce quartier où je vis depuis vingt ans est comme un quartier de rêve, chaque maison un vieux souvenir soudain réveillé, poignant, émouvant, oui c'est ça, je suis émue, emplie de nostalgie, comme si je n'avais pas vraiment le droit d'être ici, comme si on m'avait accordé une faveur spéciale, le privilège de fouler la terre, la Terre des hommes, je me le dis tout bas, "C'est ça, la Terre des hommes", et tout me paraît excessivement beau et me donne envie de pleurer, les lampadaires qui s'allument en silence, les bruits d'une journée qui tire à sa fin, les maisons familières mais lointaines et comme irréelles, les femmes qui s'affairent dans leur cuisine, les hommes qui lavent leur voiture ou bavardent dans le jardin… Et puis, du coin de l'œil, j'aperçois… ou crois apercevoir… le renard ! Tu l'avais vu aussi Maya, je me rappelle, le jour de ton audition… C'est un signe, sûrement.

J'arrive à la boulangerie la tête légère, le pas léger : ce n'est que moi, j'ai envie de dire, une femme comme une autre qui attend son tour dans la queue, la boulangère me sourit, elle me reconnaît donc, mais son sourire me donne envie de pleurer, et les gens aussi, les gens qui demandent un pain, une boule, une baguette, une ficelle, tous ces bons mots familiers, ces choses merveilleuses, fondamentales, irremplaçables, la farine cuite au four qui nourrit les estomacs et rend les gens heureux, c'est mon tour maintenant et je dis “Un pain, s'il vous plaît”, la boulangère se retourne, prend un pain, l'enveloppe dans un fin papier de soie et me le tend sans un mot, c'est entendu, ce n'est pas la peine de le dire, on se comprend, toutes deux on sait que c'est une chose sacrée qui se passe là, le pain est chaud dans ma paume et je dis “Je vais prendre aussi une livre de macarons au chocolat”, le sourire de la boulangère éclate, je vois ses dents, elle dit “Vous la gâtez ce soir, votre petite ?” et je ne sais pas si c'est une accusation, est-ce qu'elle pense vraiment que je te gâte, je baisse les yeux pour chercher les pièces dans mon porte-monnaie et soudain j'ai l'impression que la lumière a changé, qu'il y a des ombres menaçantes juste audessus de ma tête, j'ai du mal à relever les yeux vers la boulangère mais non, il ne s'est rien passé, elle prend les sous et les laisse tomber dans le tiroir-caisse, je les entends tinter contre les pièces qui y sont déjà et c'est magnifique, une petite musique, tout est redevenu beau comme avant, je dis "Merci, bonne soirée" et je ressors.

Je me dirige vers la maison, chérie. Je t'assure. Mais au coin de la rue il y a un homme assis par terre. Un homme entre deux âges, mal rasé, mal fagoté, et qui me tend la main. Je me tiens là, incertaine, à le regarder. Il a l'air malheureux. Veut-il m'inviter à danser ? Non, ce n'est pas ça, je me souviens, les gens par terre ont faim ! Il a faim, le pauvre monsieur. Alors je lui donne le pain. Je lui donne le pain, et ensuite je me dis, mais ça ne va pas lui suffire ! il aura encore faim après ! alors je lui donne les macarons aussi. Comme ça, je me dis… comme ça… et puis je ne sais plus comme quoi. Je ne sais plus rien. J'entends à peine ses remerciements étonnés. Je m'éloigne… je tourne un coin… et je marche. Je marche. Au hasard. Il fait nuit maintenant, et je marche.

Plus tard, me sentant un peu lasse, j'entre dans un café du centre-ville.

MAYA

“Bonsoir Lucien, je m’en vais !

— Tu rentres chez toi ?

— Ouep !

— Tu repasseras demain ? Je vais défourner mes trois petits saints en pièces. Ils chauffent sérieusement en ce moment, regarde, il y a sept cents degrés là-dedans ! Ça leur donnera une petite idée de ce à quoi ils ont échappé.

— De quoi ?

— Non, rien. A demain, alors ?

— C’est ça. Salut !”

Et je me glisse par le trou dans la clôture. Vite vite parce que je suis en retard, maman doit être rentrée depuis longtemps, j’ai promis de mettre la table et puis j’ai pas pu détacher les yeux des vers à soie, j’espère qu’elle est pas fâchée.

“Maman ?”

Tiens, curieux, pas de réponse. Quelle heure est-il ?

Huit heures et demie. Tiens.

J’allume les lumières. Je mets la table.

J’ai faim. Je prends un bout de fromage, il y a pas de pain. Je m’assois sur le canapé et je grignote le gruyère comme une souris. Une des souris blanches de mon papa, c’était marrant son histoire du chat en gruyère. La maison est silencieuse.

Je sors. La nuit commence à tomber pour de vrai. Je vais jusqu'à la grille du jardin et je jette un coup d'œil dans la rue pour voir si maman revient. Non, elle revient pas.

Je bois un peu de lait, puis je me mets au piano. La *Fantaisie chromatique en ré mineur*. Le piano est content. Il commençait à avoir un peu peur, là. C'est pas normal, le silence dans la maison si tôt le soir. On se raconte des histoires, le piano et moi, comme avec babouchka avant. Je suis bien.

Le téléphone sonne. Je sais que c'est pas elle.

"Allô ?

— Maya Mestral ?

— Oui…

— Dianescu à l'appareil. On se voit toujours en septembre ?

— Oui, monsieur. Bien sûr.

— Je suis en train de faire mon planning de l'automne et j'appelais pour voir avec ta mère la date de ta première leçon.

— Ah… Malheureusement elle est sortie ce soir, ma mère. Elle m'a dit qu'elle rentrerait assez tard.

— Bien… Tu peux lui dire de me contacter sans faute avant la fin de la semaine ?

— Oui oui. Sans faute, monsieur.

— Si je suis absent, elle peut mettre ça au point avec ma secrétaire. Tu n'oublieras pas, n'est-ce pas ?"

Je retourne m'asseoir au piano, mais sans jouer. Je regarde juste le clavier. Il est beau, tout en noir et blanc, il a l'air digne et tiré à quatre épingles comme un pingouin ou un monsieur en smoking. Tous les secrets qu'il cache ! A le regarder, comme ça, on devinerait jamais… Hm.

Je reprends la *Fantaisie*. La fugue qui commence si tranquillement, comme on marche, un pas devant l'autre, et puis les différentes voix qui débarquent les unes après les autres et se mettent à danser entre elles, à faire des trilles et des accords, ça devient plus fort, elles insistent, chacune veut avoir son mot à dire, oh c'est génial…

LARA

Au café je commanderai un ballon de rouge et je le boirai comme une femme dans un film, tu sais ? comme une femme dans une ville étrangère où elle ne connaît personne. C'est drôle, Maya ! Mais subitement la fatigue me tombera dessus comme une tonne de briques et je me lèverai en chancelant.

Il faut que je dorme.

Vite, vite, un lit.

Ressortant dans la rue, je vois une enseigne au néon qui clignote : “HÔTEL”. Incroyable, n’est-ce pas ? cet hôtel qui surgit à point nommé en réponse à ma demande, c’est comme de la magie, je me dis, comme une chose prédestinée, je dois donc entrer dans cet hôtel, je n’ai pas le choix. Mais en même temps, tu comprends, c’est un peu inquiétant. Dans l’autre vie j’étais professeur au Conservatoire, une femme connue et respectée, et dans cette vie qui ressemble à un film j’entre dans un hôtel sordide, peut-être un hôtel de passe, et l’employé lève la tête de son journal et me dit simplement “Bonsoir”. Il ne me dévisage pas, il acquiesce à tout ce que je lui dis, il me tend une clef sans même que j’aie eu à lui montrer une pièce d’identité ni à fournir la moindre explication de ma présence ici. J’avais envie d’un lit, j’aurai un lit. Je lui suis infiniment reconnaissante. J’ai envie de me jeter à ses pieds, de lui embrasser les pieds, d’oindre ses pieds de mes larmes de gratitude, mais il a déjà replongé le nez dans son journal.

Je prends donc l’ascenseur.

MAYA

Maintenant c'est trop tard, il est presque minuit, maman n'appellera plus, elle aurait peur de me réveiller. Elle est si gentille, ma maman. Toujours elle fait attention aux autres. Je l'aime. Je reste près du téléphone quand même. Oh, je le décroche quand même. J'écoute. Comme le perroquet du capitaine Haddock : *"J'écou-ou-te ?"* J'entends le *la* de la tonalité. Je l'ai reconnu tout de suite, à l'âge de deux ans, quand j'ai décroché un téléphone pour la première fois. Il y a des gens qui s'en servent pour chanter ensemble, s'ils ont pas de diapason sous la main. Ils décrochent le téléphone – *"Laaaaaaaaa"* – et ils peuvent se mettre à chanter !

Toi tu m'as chanté, maman, n'est-ce pas ? A l'hôpital, tu m'as dit, les autres prématurés avaient un petit jouet avec eux dans la couveuse, ou alors un vêtement, un foulard avec l'odeur de leur maman, il y en a même à qui on laissait une bible ou un coran, je me demande comment on faisait pour les stériliser ! Mais moi j'avais ta voix, c'est elle qui m'a tenu compagnie depuis le jour de ma naissance, c'est elle qui m'a donné la vie et la musique en même temps, je l'entends encore maintenant…

Tu te mettras sous le piano, ce sera ta petite maison tout en bois, et tout autour de toi ça résonnera quand je joue, boum, *les graves, la pédale, un orage, un déluge, un ouragan de musique se déchaînant dans le bois !*

LARA

Je n'ai plus envie de dormir. Juste d'être là. Dans la ville.

Je n'allume pas les lampes. Je me tiens à la fenêtre en fumant une cigarette et je contemple les lumières de la ville. Lampadaires, phares, enseignes, ça a quelque chose de terrible, de désespérant, comme des signaux, des appels à l'aide dans un code que je n'arrive pas à décrypter. Une ville ne dort jamais. Les gens errent en elle, inquiets, telles des pensées dans la tête. Ils vont de-ci, de-là, sans savoir pourquoi. Je fume.

Tout d'un coup j'ai le vertige. Je n'ai rien mangé de la journée. Je m'assois sur le lit, près de la fenêtre, et mon regard se perd dans le blanc du drap, livide à la lumière du lampadaire. La chambre blanche, encore. Tout est blanc, blanc et stérile. Je fume, et une cendre tombe sur le drap. Elle fait un petit trou noir en s'éteignant, comme le trou que laisse une balle dans le front d'un homme assassiné. Je prends ma cigarette et je fais un autre trou exprès, pour que le premier ne se sente pas seul. Puis un autre, et un autre encore. Plein de petits trous qui dansent. Ou des notes qui chantent... mais ça commence à être désordonné, les notes s'égaillent de haut en bas de la portée, et même en dehors – en dehors du lit, de la chambre, du monde. Je les entends. Chacune a son mot à dire mais ça ne fait pas sens. Regarde, regarde, *la, do, fa, si* bémol, c'est affreux, elles sont partout les notes, elles s'éparpillent au hasard à travers le cosmos, je n'ai pas voulu ça –

MAYA

J'ai dormi... Hum ! toute la nuit sur le canapé. Eh ben ! Comme ça, pas de temps perdu à se déshabiller et se rhabiller, un petit coup de peigne et c'est le matin !

Mon verre de lait... mes céréales... bonjour, le monde !

BENJAMIN

“Salut !

— Salut !”

Elle arrive tôt ce matin, la petiote, froissée et ébouriffée comme une larve avant la nymphose. Curieuse, sûrement, de voir les petits saints sortir du four en mille morceaux. Oui, ils sont cuits… “C’est seulement après cuisson que l’émail révèle sa couleur, lui explique oncle Lucien… Quand on l’applique, au départ, ça peut varier du noir à la sanguine, mais pour qu’il crache sa vérité il faut le torturer, le chauffer à blanc… un peu comme les saints, justement !” Il essaie de la faire rire, la libellule. Elle fait mine de suivre, mais je la sens pas aussi alerte que d’habitude. Elle hoche la tête comme ça, un peu mécanique. Puis – tiens – me cligne de l’œil, regarde vers le jardin. D’accord, allons-y dans cinq minutes, qu’est-ce qu’il y a.

“Benjamin, me dit-elle à voix basse – mais sans en rajouter, sans en faire un plat –, j’ai un secret.

— Ah bon.

— C’est un secret très très important. Je vais te le dire mais tu dois jurer de ne le dire à personne. Tu le jures ?

— Ben oui.

— Dis : je le jure.
— Ben, je le jure."

Elle prend son souffle, me regarde une fois puis regarde ailleurs, vers la balançoire. Et elle murmure : "Ma mère est partie. Je suis toute seule dans la maison.

— Ah ? je fais. Elle est allée où ?

— Je peux pas te le dire. Tout ce que je peux te dire, c'est qu'il faut la laisser tranquille, il faut pas la déranger. Tu m'aimes ?"

Comme ça, tout de go, *tu m'aimes ?* Ça me fait comme un petit flip-flop dans la poitrine, mais je réponds : "Ben oui.

— Tu m'aimes, alors c'est d'accord ? Tu le diras à personne ?

— Euh… ça va durer combien de temps ?

— Oh, pas longtemps… Ce sera formidable, tu vas voir ! C'est notre secret… comme quand Huck Finn il s'enfuit en emmenant le vieux nègre Jim… Tu t'occuperas de moi, dis ? Tu me protégeras ?

— Ben oui, je fais, me sentant idiot parce que je trouve que ça à dire, chaque fois : *Ben oui.*

— Maintenant on joue ensemble, d'accord ? Comme si de rien n'était."

On passe la matinée comme ça, à crapahuter dans le jardin à la recherche de gendarmes, on s'amuse bien et j'ai l'impression que ça dure qu'un quart d'heure mais tout d'un coup il est midi, oncle Lucien sort sur la véranda…

"A la soupe ! Tu restes déjeuner avec nous, Maya ?

— Ah je veux bien ! Attends, il faut que je demande à ma mère !"

Elle me regarde même pas pour voir si j'admire son don de comédienne, j'admire, j'admire tout seul dans mon coin, elle court chez elle et trente secondes plus tard elle est de retour : "C'est d'accord, je peux rester !"

J'admire.

LUCIEN

"Lavez-vous les mains, petits saligauds ! Vous vous êtes regardés un peu ?"

Je me retiens de leur raconter l'histoire de saint Psoté dont le talent consistait à être toujours frais et propre comme un sou neuf, cette propreté étant bien sûr le reflet de son âme sans tache : on avait beau l'enfermer dans l'étable à cochons où le fumier et le purin lui montaient à mi-corps, on avait beau le plonger dans les fosses d'aisances et l'y laisser vingt jours durant, il réapparaissait toujours immaculé et souriant, fleurant bon la rose. Non, je ne la leur raconterai pas.

"Tomates ? Pâté ? Fromage ? Un peu de pain ?" La petite Maya se jette avec voracité sur tout ce que je lui propose, se remplissant la bouche avant même d'avoir fini de mastiquer. Je n'avais pas le souvenir d'une telle fringale chez elle.

On parle de choses et d'autres. Des projets de Benjamin pour l'avenir. De son lycée, il entre en troisième en septembre. De ses nombreux frères et sœurs. Des allocations chômage de son père. Il est possible de vivre, tu vois, Annette. Il est possible de continuer de vivre, même après l'impensable. Il suffit de rester tout près de ce qui se trouve là devant vous, les enfants, le bavardage, la nourriture, les guêpes, la carafe d'eau qui attrape les reflets du soleil – et de l'approuver, seconde par seconde. C'est ça, vivre.

Puis, tout à trac, la lutine me demande : "Tu crois en Dieu, toi ?"

Je suis là en train de remuer le sucre dans mon café, bien au chaud avec Annette dans ma tête, et voilà que Maya me pose cette question-là. Un peu comme sa mère, le jour où elle m'a dit : *J'ai envie de vous embrasser.*

La cuiller saute de ma main et tombe par terre.

"Moi ?" je dis en me penchant pour la ramasser sous la table, heureux de cet instant de répit… et de la posture tête en bas comme explication possible de mes joues rouges.

Benjamin attend pour voir ce que je vais dire, curieux, nerveux aussi : il sait le différend qui me sépare de son père à ce sujet.

"Euh… Dieu… c'est-à-dire… lequel ?

— Eh ben le bon ! dit Maya en riant. Le bon Dieu, quoi. Celui à qui ma babouchka parlait tout le temps.

— Ben oui, dis-je enfin. Oui, oui. Mettons que j'y crois. Pas à un Dieu là-haut, au loin, au-dessus de la vie ou après. Mais à Dieu, ici et maintenant, oui. Dieu bon, oui, j'ai pas de problème avec ça. Je le vois partout. Dans les yeux des gens, dans mes vitraux, dans un repas qu'on partage, dans ta musique… Dieu, c'est quand on se rend compte qu'on est vivant, non ? Et que ça va pas de soi, que c'est pas banal.

— Mais tu pries ou pas ?

— Non je ne prie pas. Mais j'ai rien contre les prières, si c'est pour de vrai. Si c'est pour dire par exemple, au début d'un repas : voilà, on est tous là, réunis, on a de quoi manger… et c'est bien. Merci pour cet instant à nul autre pareil… Ça oui, c'est important. Ma femme était comme ça…

— Oh ! fait Maya, surprise. Toi aussi, tu es divorcé ?

— Non. Je suis veuf. C'est moche comme mot, hein ? *Veuf*… on dirait l'aboiement d'un chien débile. *Veuf, veuf !* Ma femme était une espèce d'accro de la vie quotidienne. Même le trajet entre deux stations de métro à Paris, elle était capable d'en faire toute une épopée. Les yeux fermés, elle écoutait le bruit du moteur et sentait le train accélérer, son bourdonnement grimper vite vers les aigus, et quand il atteignait sa vitesse de croisière, elle s'émerveillait de cette chose proprement stupéfiante : *on voyage ! Tu te rends compte ?* En un rien de temps on est transporté d'ici à là, du Châtelet à l'Hôtel de Ville ! Rapide, souveraine et sans accroc, la rame glisse sur les rails étincelants, bravant, perçant, fendant l'effrayante noirceur du tunnel en béton armé, on se trouve à vingt mètres sous la terre et pourtant en pleine lumière, en train de lire des romans, de discuter, voire d'écouter de la musique… Au bout d'un moment l'engin se met à ralentir, son bourdonnement décroît pour s'abîmer enfin dans le silence, le train est arrivé à bon port, il éjecte sains et saufs certains de ses passagers et laisse d'autres embarquer pour l'aventure suivante, de l'Hôtel de Ville jusqu'à Saint-Paul… !"

Maya rit aux éclats et même Benjamin, qui n'est pas du genre éclats, laisse poindre sur son visage un vrai sourire.

"Alors si c'est ça, croire en Dieu, dit Maya, moi aussi j'y crois !"

Prestement elle quitte la table, s'élance dans la pièce à côté et se met à taper sur le piano – un morceau drôlement rythmé et dansant, une espèce de gigue je crois. Sensationnelle.

ALEXIS

Coïncidence troublante. Hier soir j'ai failli appeler pour annuler ma leçon d'aujourd'hui mais je me suis dégonflé ; là, j'arrive, et la minette me dit que sa mère n'est pas à la maison. Qu'elle a eu un empêchement. Qu'elle l'a chargée, elle, la minette, de me transmettre ses excuses. Qu'elle me téléphonera pour fixer un autre rendez-vous. Ce n'est pas drôle. Je prends trois bus différents, je traverse toute la ville, j'arrive à l'heure, jamais une minute de retard – et elle ne se donne même pas la peine d'être là. Elle aurait pu décrocher son téléphone, merde. Ce n'est pas admissible. Cette fois c'est décidé : j'arrête les frais.

MAYA

La nuit tombe encore, c'est comme hier, c'est comme chaque jour, la Terre tourne, quoi, alors la nuit doit tomber, c'est normal.

Impossible qu'il y ait deux journées pareilles. Aussi impossible que de jouer cette fugue comme je l'ai jouée hier soir. C'est un nouveau morceau, tout nouveau, ça vient juste de naître, c'est jamais une répétition. On ne dit pas : ah, l'aube, bof ! j'en ai déjà vu, des aubes. Celle-ci n'est que la pâle réplique d'une aube de ma jeunesse – ha, ha ! Non, parce que c'est *toujours cette fois-ci*. C'est maman qui m'a appris ça. La fugue est toujours là en train de naître. Ça continue, et tout est possible.

Sonnerie du téléphone – comme hier à la même heure ! C'est… ?

D'un bond je suis à l'autre bout de la pièce, je tiens le combiné contre mon oreille, *quand tu es née tu n'étais pas plus grande que le combiné du téléphone...*

"Allô ?

— Ma chérie !

— Oh... salut, papa.

— Tu vas bien ?

— Oui, ça va...

— Tu me passes ta maman ?

— Elle est sortie... acheter du pain."

Je mens pas. Elle est sortie acheter du pain, c'est vrai. Mais, c'est comme la fugue, cette phrase ne veut pas dire la même chose ce soir qu'hier soir à la même heure.

"Dis-lui que j'ai envie de vous inviter au restaurant demain, d'accord ? Qu'elle ne se dérange pas pour faire les courses et la cuisine. Tu lui diras ? Elle est un peu fatiguée en ce moment, ta maman...

— Oui, je sais.

— Rien n'échappe à tes yeux de lynx, hein ?

— Rien !

— Alors je veux que tu la bichonnes bien ce soir, d'accord ?

— Oui, bien sûr !

— ... Tu jouais ?

— Mm-hmm...

— Peut-être que tu pourrais... arrêter de jouer, là, et l'aider à... je ne sais pas, à mettre la table...

— D'accord, papa. Je vais mettre la table, t'inquiète pas. Salut, à demain !"

Et, pour ne pas mentir, je mets la table. Pour deux : maman et moi. Peut-être que nos fantômes vont venir manger et bavarder ensemble au milieu de la nuit ! Est-ce que les gens vivants ont des fantômes, ou seulement les gens morts ? J'ai pas encore vu babouchka en fantôme, en tout cas. Si je la voyais, je crois pas que j'aurais peur !

J'éteins toutes les lampes et je monte dans ma chambre.

BENJAMIN

"Maya ?"

C'est tout éteint au rez-de-chaussée, je me tiens là dans l'entrée avec mon sac de provisions et j'en mène pas large. Dans la lumière glauque des lampadaires, les pianos et les meubles du salon ressemblent à de grosses bêtes prêtes à bondir, j'aime pas les grosses bêtes moi, seulement les petites, plus elles sont petites plus je les aime – "Maya ?" – où elle est, j'entends le tremblement dans ma voix, hé c'est moi qui suis censé la protéger, pas l'inverse…

Elle surgit en haut de l'escalier. Dans la pénombre je vois pas sa figure, seulement sa chemise de nuit, blanche et droite comme un I, et ses cheveux noirs tout hérissés, on dirait une petite marguerite en noir et blanc.

"Je suis là, tu montes ?"

Et je monte. Sur la pointe des pieds, je sais pas pourquoi, il y a qu'elle pour m'entendre.

"C'est génial ! T'as réussi à te sauver sans que Lucien te voie ?

— Peinard, que je dis. Il s'est couché tôt, ça fait déjà une heure qu'il ronfle comme un damné !"

Et on se marre tous les deux. Je me sens mieux, là, dans sa chambre. Comme lumière il y a que sa veilleuse parce qu'elle veut pas attirer l'attention des voisins d'en face. Tout est étrange et secret et dangereux, on est comme des conspirateurs dans un film d'aventures, ça me plaît bien.

"T'as pas la trouille de vivre toute seule dans cette baraque ? je lui dis, oubliant ma propre peur d'il y a trente secondes et jouant à fond mon rôle de protecteur.

— Oh ! non… Non, pas du tout."

La libellule s'assoit en tailleur sur son lit défait, et je vois qu'il y a une demi-douzaine de peluches parmi ses draps : la solitude, elle a quand même dû la sentir un chouïa.

“Regarde, je lui dis, j’ai fait une descente dans le frigidaire, je t’ai apporté des trucs…

— Oh !”

Ses yeux s’arrondissent quand je me mets à sortir la bouffe du sac en plastique : un quart de saucisson, un bout de pain, un yaourt nature, quelques mirabelles… Elle se jette dessus et mange goulûment, prenant à peine le temps de mâcher… Ça me fait rire.

“Pardon ! qu’elle fait, la bouche pleine, le sourire dégoulinant de yaourt. Je suis pas très polie, hein ?

— Tu sais, quand on entre dans un vrai élevage de vers à soie, on peut les entendre bouffer, les chenilles. Des milliers de mandibules qui mastiquent des feuilles de laurier… ça fait un bruit étonnant, comme de la pluie sur le toit !

— Ça alors !”

Elle est gentille quand même, elle apprécie toujours mes histoires. S’essuyant la bouche avec la main, elle bondit du lit et fait tomber par terre les miettes qui s’étaient accumulées sur sa chemise de nuit.

“Tu restes un peu avec moi ?” Elle me regarde à la dérobée, timide on dirait, ça lui ressemble pas, c’est clair qu'elle préférerait ne pas me voir repartir illico.

"Ben oui, bien sûr... seulement, faudrait que je sois de retour avant que mon oncle se lève.

— Attends ! je reviens."

Pieds nus, elle court jusqu'à la chambre d'à côté, puis revient avec le réveille-matin de sa mère.

"Regarde, on peut le mettre pour six heures. D'accord ? Ça te va ?"

Elle pose le réveil sur sa table de chevet et se glisse dans le lit, tout au fond, contre le mur.

Moi je suis là, tout chose, je sens les poils qui se dressent sur mes cuisses, je vais coucher avec une fille pour la première fois de ma vie et ça me fait drôle. Elle a l'âge de Poupette, je me dis, elle a dix ans, c'est comme ta petite sœur. Ouais. Seulement c'est pas du tout comme ma petite sœur, il y a rien à dire.

J'enlève mes tongs, mon short, je garde le reste et je me glisse dans le lit à côté de Maya. Elle s'endort vite : pouf ! éteinte. Moi j'arrive pas à dormir, je regarde le moustique à la lumière de la veilleuse, elle a le visage tourné vers moi et elle respire tout doucement, je vois le souffle qui passe et fait gonfler ses petites narines, elle est si fragile la libellule et si forte en même temps, tiens elle tressaute, elle doit être en train de faire un rêve, je me dis que c'est pas normal, à l'âge de dix ans elle peut quand même pas se débrouiller toute seule, ça va pas cette histoire, je veux pas trahir son secret mais… Qu'est-ce qu'elle peut bien fabriquer, sa mère ?

MAYA

C'est quoi ?

C'est toi maman ?

Vite je grimpe par-dessus Benjamin, je veux pas le réveiller mais tant pis tant pis, c'était quoi ce bruit ? La porte d'entrée ? C'est maman qui est rentrée, c'est toi maman ? En trois secondes je suis en bas mais non, personne, ça devait être le vent, il y a un vent terrible qui fait claquer les volets, peut-être qu'il va y avoir de l'orage, comme le jour de mon audition quand on a couru sous la pluie, tu t'en souviens ? Tu m'avais acheté plein de macarons et en arrivant à la maison on était trempées de la tête aux pieds !

Bon c'est rien, je remonte. Benjamin s'est réveillé, il a l'air inquiet : "Qu'est-ce qu'il y a ? où tu étais ?

— Rien, j'avais soif. Je suis allée boire un verre d'eau à la cuisine. Pardon, je voulais pas te réveiller."

Je me remets au lit. Ça y est, il commence à pleuvoir. Quelques grosses gouttes d'abord, bien séparées, puis tout un crépitement… *Ecoute ! Mais oui ma petite, il pleut ! mais oui, il fait soleil ! De minuscules gouttelettes s'accrochent au bord des feuilles et tremblotent, irisées, chacune habitée d'un immense arc-en-ciel !…* On se rendort pas, on écoute la pluie sur le toit, comme les mandibules des vers à soie, je suis contente d'avoir Benjamin près de moi, on est allongés dans le lit face à face et on se regarde sans parler. Je suis sûre qu'on s'endort pas mais tout d'un coup le réveil sonne et on se réveille en sursaut, serrés dans les bras l'un de l'autre. Le jour commence à se lever.

Je l'accompagne en bas et, debout sur le pas de la porte, je l'embrasse sur les lèvres… Puis il s'en va, sans un mot.

ROBERT

Je ne crois pas aux pressentiments mais j'ai un pressentiment. Dès que je me gare devant la maison. Une sorte de, comment dire, mais oui, la conviction que quelque chose ne tourne pas rond. Pourtant tout est comme à l'accoutumée, les hauts buissons de roses de part et d'autre de l'allée, l'herbe qui scintille encore de la grosse pluie de la nuit, le son du piano qui me parvient depuis les fenêtres ouvertes…

Ce doit être l'absence de Sofia, je ne m'y suis toujours pas fait. Ma belle-mère. Je n'ai plus de belle-mère. Toute une dimension d'ironie et de fantaisie et de solide bon sens s'est évaporée de notre existence…

La porte-moustiquaire claque derrière moi et la musique s'interrompt : Maya est là, elle me saute au cou comme chaque samedi, noue les jambes autour de ma taille et me plante sur le front un grand baiser sonore, mais je n'arrive pas à me débarrasser de ce sentiment… désagréable…

“Elle est où, ta maman ?

— Oh ! Maman ?”

Maya saute par terre et se met à fouiller dans ses partitions. Pourquoi ne veut-elle pas me regarder ? Que se passe-t-il ?

“Maman participe à un jury au Conservatoire. Elle rentre seulement en fin d'après-midi.

— Un jury, en plein mois d'août ? Ce n'était pas prévu, ça, si ?

— Si, si... dit Maya, tournant toujours fébrilement les pages couvertes de notes, comme si elle y avait perdu quelque chose...

— Pourquoi tu ne me l'as pas dit, hier au téléphone ?

— Oh ! je pensais que tu étais au courant.

— Mais non, je n'étais pas au courant. Je ne comprends pas pourquoi Lara ne m'a pas prévenu... Bon..." Et j'essaie de secouer cette sensation absurde qui m'est comme collée dans le dos, derrière l'épaule, des ombres mouvantes, des voix chuchotantes, ça m'énerve au plus haut point.

"Tu as déjeuné ? que je lui demande.

— Non, j'ai pas très faim."

Elle se remet à jouer et moi je me dirige vers la cuisine... Mais, c'est insensé, je dois presque me forcer pour mettre un pied devant l'autre. Bon Dieu, que se passe-t-il ? Que peut-il bien m'attendre à la cuisine ? J'ai horreur des gens superstitieux...

Non, la cuisine c'est la cuisine. Normale. Seule fausse note : un bouquet de fleurs un peu flétri sur la table. En général Lara jette les fleurs dès qu'elles commencent à se faner, elle n'aime pas avoir à assister à leur déclin... J'ouvre le réfrigérateur et là, j'ai une sorte de choc parce qu'il est vide, très vide même – même pas un litre de lait, je ne l'ai jamais vu aussi vide. Peut-être Lara pensait-elle faire des courses en rentrant du Conservatoire... Ou peut-être a-t-elle du mal à faire des courses, maintenant que Sofia n'est plus là pour lui mijoter des petits plats...

Je jette un œil à l'horloge digitale sur la cuisinière, elle montre treize heures treize. Ça me frappe, et aussitôt après ça m'énerve : c'est indigne de moi de voir un signe maléfique dans le double treize. Zut, zut et merde. Ressaisissons-nous.

Je vais faire des spaghettis. On s'empiffrera de spaghettis, Maya et moi, puis on passera l'après-midi à s'amuser comme des petits fous. Il faut absolument tordre le cou à ce malaise.

Quand les spaghettis sont cuits j'appelle Maya, on met la table de façon sommaire et on verse de la sauce bolognaise directement de la boîte sur les pâtes dans nos assiettes, oui on s'amuse, on s'encanaille, c'est bien, la pression dans ma poitrine s'allège un peu. Je lui montre comment tourner les spaghettis avec la fourchette dans une grande cuiller pour les manger sans les aspirer mais à chaque fois ma belle spirale se défait sur le chemin de ma bouche et je suis réduit à aspirer quand même. Alors on y va, on en rajoute, on mange comme des cochons en se foutant de la sauce partout, Maya rit comme une folle de voir son papa respectable ainsi maculé de rouge : “On dirait que tu es un vampire qui vient de boire le sang de sa victime !” dit-elle, et paf ! ça revient. Inexplicablement. La chose mauvaise. Ça me coupe l’appétit, et je dois aller me faire un café pour que ma fille ne s’aperçoive de rien.

Pendant qu’on fait la vaisselle, après, elle me demande : “Vous vous êtes rencontrés comment, avec maman ?

— Tu le sais bien. On te l’a raconté des centaines de fois.

— Non, mais raconte-moi quand même.

— Elle donnait un concert avec l’orchestre, et je me trouvais dans la salle un peu par hasard. Je n’ai pas entendu une note de musique de la soirée, tant j’étais abasourdi par sa beauté.

— Parce qu’elle avait le dos nu, c’est ça ? C’est vrai ? Tu lui as parlé à l’entracte ?

— Non, non. J’ai tout de même attendu la fin du concert, pour ne pas perturber sa concentration.

— Et elle aussi, c’était le coup de foudre ?

— Ça, ce n'est pas à moi qu'il faut le demander. Mais dis-toi bien qu'avec quelques cheveux en plus et quelques kilos en moins, j'étais plutôt irrésistible.

— C'est quoi les premiers mots que tu lui as dits ?

— Oh ! je ne me rappelle pas.

— Mais si, tu te rappelles, c'est pas possible, tu mens !

— Je ne sais pas, j'ai dû lui dire "Admirable, votre *Concerto en ré mineur* de Mozart", ou quelque chose de ce genre. Je ne connaissais rien à la musique, mais j'avais étudié attentivement le programme pour pouvoir lui faire un compliment après.

— Et elle ? Et elle ? Qu'est-ce qu'elle a répondu, maman ?

— Si je me souviens bien, elle a répondu en me regardant dans les yeux et en rougissant de façon charmante. Seuls les humains rougissent, tu sais. On ne sait pas encore bien expliquer la fonction évolutionnaire de cet afflux de sang au visage…

— N'essaie pas de changer de sujet. Et tu l'as embrassée le soir même ?

— Mademoiselle ! vos questions commencent à être un peu déplacées !

— Dis-moi, s'il te plaît, s'il te plaît !

— Peut-être le lendemain, tout de même. Oui, je crois que je l'ai laissée mariner dans le doute, l'angoisse et l'incertitude pendant vingt-quatre heures. Mais pas vingt-cinq !

— Et c'était comment, la première fois ? C'était bizarre ?

— Allez ouste ! Va t'occuper de tes phalangettes, petite impertinente !"

Embrasser Lara pour la première fois, il y a vingt ans... les lèvres de Lara à vingt-cinq ans... C'est fou ce qu'elles n'ont pas changé, ses lèvres. Des lèvres pleines et douces. Infiniment tendres. Et tristes...

Mais pourquoi les choses sont-elles si bancales aujourd'hui ?

ALINE

Dans un premier temps je n'ai rien remarqué, sans doute parce que j'étais en retard, il était trois heures dix et j'avais promis à Camille de venir la chercher à la bibliothèque à trois heures, j'avais perdu un temps fou à faire la queue au Monoprix alors je me suis engouffrée dans la voiture avec mes sacs de courses sans voir la dame...

Mais ensuite, bien sûr, dès que j'étais assise derrière le volant, il n'y avait plus moyen de l'ignorer : elle était appuyée contre le capot, juste là, devant mes yeux.

Pas une seconde je ne l'ai prise pour une clocharde ou une SDF, c'était impossible. Elle avait une allure… autre. D'abord elle était bien habillée, elle portait un joli ensemble en coton rouge… mais c'était surtout sa façon de se tenir. Elle n'était ni assise ni affalée, elle *s'appuyait* contre le capot comme si… je ne sais pas le dire autrement… comme si elle en attendait un soutien moral.

Je jette un coup d'œil à ma montre, ce qui est idiot parce que je viens juste de la regarder, elle indique toujours trois heures dix. Je pense à Camille qui m'attend et, un peu méchamment, je tourne la clef de contact pour faire démarrer la voiture, pensant que la dame va sursauter et s'en aller en faisant des gestes pour s'excuser… Mais non. Elle reste dans la même position exactement. Alors je klaxonne. Doucement, plusieurs fois, comme ça, *tut-tut-tut-tut*, comme quand on essaie d'avancer dans une rue où les gens font la fête. Mais elle ne bronche toujours pas, ne tourne même pas la tête, et je comprends que… qu'il y a quelque chose. Aussitôt, Camille repasse à l'arrière-plan de mes préoccupations (même si la bibliothécaire m'a prévenue tout à l'heure, d'un air pincé, que la bibliothèque n'était pas une halte-garderie) et cette dame inconnue vient s'installer au premier plan.

Je descends de la voiture, referme la portière et m'avance jusqu'à elle.

"Madame ?"

Elle me regarde. Une femme entre deux âges, avec une vraie distinction dans l'allure. Tout sauf une clocharde, effectivement. On la situerait plutôt comme prof de fac ou alors actrice vieillissante… Mais ce qui me frappe surtout, c'est qu'elle est totalement ailleurs. Elle a les yeux absents et le visage ravagé. Egaré.

"Vous n'êtes pas bien ?"

Elle me regarde toujours, droit dans les yeux, et ça me glace le sang. Je n'ai jamais été regardée de cette façon et j'espère ne pas l'être une deuxième fois. Elle me regarde… comme on regarde la pluie de la fenêtre d'un train. Ça n'appelle pas de commentaire : c'est la tristesse banale et irréfutable. Il n'y a pas d'échange. On ne songe pas à adresser la parole à la pluie. On la voit, on la constate et elle vous désespère, c'est tout.

Je ne sais pas quoi faire. J'ai quelques notions de psychologie, mais une souffrance qui vous enferme derrière de tels murs, je ne sais pas par quel bout la prendre. Cette femme a besoin d'aide professionnelle, c'est patent. Et à cet instant, dans cet échange de nos regards asymétriques, le mien plein de souci, le sien morne et mort, commence un enchaînement dont je sais avec certitude qu'il la conduira derrière des murs réels.

Je vais dans le café le plus proche et demande qu'on appelle la police.

Ensuite je sors de la vie de cette femme, de façon aussi discrète et aussi fortuite que j'y étais entrée.

Je ne saurai jamais qui elle était.

ROBERT

Installé dans la véranda à l'arrière, je lis le journal tandis que Maya joue son cher Gibbons. On a écoulé ainsi des après-midi sans nombre, il ne se passe strictement rien d'anormal… et pourtant, quand le téléphone sonne, il allume un incendie dans mon cerveau. D'ici quelques minutes, je le sais sans l'ombre d'un doute, mon mauvais pressentiment va s'embraser en catastrophe.

Maya le sait aussi, puisqu'en entendant sonner le téléphone elle cesse de jouer et se précipite pour y répondre, ce qu'elle ne fait jamais si l'un de nous est là. Elle écoute un court instant et je vois son visage s'illuminer.

"On a retrouvé maman !" s'exclame-t-elle – ah ? elle la savait donc perdue ? – et de me tendre le combiné d'un air jubilatoire.

A partir de là, j'ai le sentiment incoercible de jouer dans une pièce de théâtre. Je prononce les répliques qui ont été rédigées pour moi, longtemps à l'avance, par un auteur sadique. Je dis que oui, je suis bien M. Mestral. Oui. Le mari de Lara Mestral (et, d'une certaine façon, je n'ai jamais été autant son mari qu'en cet instant). Je réponds à plusieurs autres questions faciles, factuelles. Enfin, je note l'adresse de l'hôpital où on vient de la conduire.

MAYA

Maman !

Oh que je suis heureuse de te retrouver ! Maintenant tout ira bien, tu vas voir. Je viendrai te rendre visite tous les jours. Ma mamotchka… je t'aime, tu sais. Tu n'as pas besoin de parler, si tu ne veux pas. C'est pas grave. Je comprends. Regarde, je t'embrasse les mains, je te serre dans mes bras, je vais te raconter mille et mille histoires !

ROBERT

Une fois effectuées les formalités du transfert de l'hôpital à la clinique, j'ai laissé Maya avec sa mère et je suis allé dans le couloir discuter avec le médecin psychiatre. Je n'arrivais pas à me débarrasser de l'impression que nous étions revenus dix ans en arrière. La même chambre blanche, sans fenêtres, éclairée à la lumière artificielle. Partout, des médecins et infirmières vêtus de blanc, leurs pas rapides dans le couloir, leurs conciliabules à voix basse, la tête penchée et le regard inquiet.

Retour à l'aube. Retour à la case départ, avec des malades mentaux à la place des enfants prématurés. Les limbes, à nouveau. L'angoisse, à nouveau. Inscriptions hasardeuses dans la marge, griffonnages, gribouillis – hors du texte officiel, sagement imprimé.

Lara paraît tout à fait paisible, elle est consciente de notre présence, elle nous reconnaît – simplement, elle ne parle plus. Pour clouer le bec à l'inconnu, aux innommables contorsions de l'âme humaine, le psychiatre me dit dans son jargon le nom de cette pathologie. En gros, si j'ai bien compris, ça se résume à de l'épuisement mental. Nous voilà bien avancés.

Il dit que Lara va faire une cure de sommeil, qu'elle a déjà entamé un traitement médicamenteux lourd.

Voilà, sans doute, pourquoi elle a l'air si paisible.

MAYA

Tu es moi, tu es ma mère, quoi que tu fasses je te laisserai pas tomber. Ne parle pas, si tu veux. Prends ton temps. Il me fait pas peur le silence, c'est toi qui m'as appris comme il peut être beau, et comme la musique en a besoin. Tu es la musique, ma mamotchka, alors c'est normal que tu aies besoin de silence. Prends-en, autant que tu veux.

Je suis là avec toi. *Quand tu inspires, mes poumons se gonflent d'air et quand tu ris mon cœur est à la fête.* Oh ! je sais, tu ne ris pas encore, mais ça ne saurait tarder. Tu peux compter sur moi. Tous les jours je viendrai, je te parlerai et… on s'en sortira, je te le jure.

Elle est pas mal cette clinique, je trouve, elle est dans un quartier que je ne connaissais pas avant. Il y a des grands arbres, des marronniers. Leurs feuilles commencent déjà à tourner, alors qu'on n'est qu'au tout début septembre. J'aime bien les voir tourner. Avant qu'elles deviennent toutes brunes et rabougries, c'est du jaune qui apparaît sur le vert dans un motif géométrique. On dirait un tableau abstrait, chaque feuille un tableau différent.

MAYA

Je suis allée chez Lucien hier. Il était en train d'envelopper ses trois petits saints pour les amener à l'église qui les avait commandés. C'est pas très loin, à une petite heure d'ici, on ira les voir ensemble quand tu sortiras. Lucien était fier du résultat, t'aurais dû le voir ! Il dit qu'on ne sait jamais à quoi ça va ressembler, un vitrail. Pendant des semaines on travaille dans le noir, il y a la peinture, la cuisson, le montage, la soudure, le masticage, la pose... C'est seulement à la fin qu'on voit l'effet que ça va faire... Il dit que c'est comme une grossesse. Le petit bébé lui aussi grandit dans le noir, on attend, on espère que tout va bien se passer, puis à la fin… c'est génial ! Il te fait dire un grand bonjour, Lucien, il demande chaque jour de tes nouvelles, il est jaloux de moi parce que lui n'a pas le droit de visite… Il t'aime, mamotchka. Moi aussi je t'aime. Tu vas voir comme il est fort, mon amour ! Tu vas voir…

Benjamin m'a encore montré sa boîte de vers à soie et ça y est, les papillons qu'on n'avait pas tués sont tous sortis de leur chrysalide. Qu'est-ce qu'ils sont moches ! Benjamin m'avait prévenue mais ça m'a quand même étonnée, de voir comme ils sont moches alors que leur chrysalide de soie était si jolie.

Benjamin va rentrer chez lui après-demain et moi il faut que je retourne à l'école. J'entre en sixième, tu te rends compte ? Puis dans quinze jours papa m'amènera à Berlin pour ma première vraie leçon avec Dianescu. Je te raconterai tout, promis-juré, je te dirai s'il se cure le nez en m'écoutant, et si son portable sonne pendant les leçons… De toute façon il peut pas être meilleur professeur que toi, c'est impossible. Tiens, il y a plein de tes élèves qui ont téléphoné pour prendre de tes nouvelles. Tes collègues aussi. Tout le monde te fait dire de bien te reposer et puis de revenir vite parce que – tu leur manques !

Je t'écoute, maman, tu sais ? Même si tu penses ne pas parler, je t'écoute très fort. Les vrais musiciens savent déchiffrer le silence, c'est toi qui me l'as appris. Tu m'as appris *tout ce que je sais et tout ce que je ne sais pas au sujet de la musique, les quatre-vingt-huit notes du clavier et puis les cent millions de constellations dans l'univers, chaque note une étoile et toi aussi, étoile ma petite étoile*, j'ai besoin de toi, ma mamotchka.

MAYA

J'espère qu'on est gentil avec toi ici, j'espère qu'on te chouchoute… Papa est plutôt nul comme cuisinier, tout ce qu'il sait faire sans le rater c'est les spaghettis. Mais il fait des efforts. Hier soir il s'est lancé dans un ragoût de mouton, c'était complètement immangeable mais bon c'est pas grave, au moins quand je me moque de lui il le prend bien…

Tu te souviens comme babouchka nous faisait des bons petits plats autrefois ? Tu te souviens de ses choux farcis et de ses soupes aux choux et de ses choux en saumure et de ses choux râpés et de ses blinis aux choux et de ses choux braisés ? Et comme la cuisine puait l'ail toujours, à cause de ses éternels remèdes pour le cœur ? Aïe, aïe, aïe ! Tu te souviens comme elle disait *Aïe, aïe, aïe !* et nous on riait, on se tenait le nez et on disait *Ail, ail, ail !*

Elle te manque, ta maman ? Tu es triste parce qu'elle est morte ? Il ne faut pas être triste, maman… Les enfants sont là pour consoler leurs parents. Lucien m'a raconté l'histoire de la petite sainte qu'il a envie de peindre maintenant, elle s'appelle Paule-Elisabeth quelque chose, c'est une Italienne, à vingt ans elle a été mariée de force à un vieux comte de soixante ans qui avait une passion pour la musique, et tous les soirs pendant dix-huit ans il l'obligeait à assister à des concerts assommants, à en devenir folle ! Elle a eu trois enfants mais deux sont morts petits et le mari était tellement jaloux du troisième, un fils nommé Charles, qu'elle a dû le mettre en pension. Puis enfin le mari est mort – mais, malheureusement, peu après le fils aussi, et Paule-Elisabeth a tellement pleuré à son chevet que Charles est venu la consoler, il lui a dit : “Ne t'inquiète pas, Dieu va t'envoyer d'autres enfants." Elle avait du mal à le croire mais c'est bien ce qui s'est passé, elle s'est mise à adopter des orphelines – deux d'abord, puis d'autres et encore d'autres et pour finir il y en avait des centaines, tout son château grouillait de fillettes, tu vas voir comme le vitrail de Lucien sera fantastique, avec ces ribambelles de gamines qui s'accrochent aux lustres et glissent sur les rampes des escaliers !

Quand il m'a décrit les concerts qu'on infligeait à la pauvre Paule-Elisabeth, ça m'a rappelé l'histoire d'Ivan avec son violon magique que babouchka m'avait racontée une fois. J'ai dû m'endormir avant la fin, je crois. Je ne sais pas ce qu'il devient, Ivan, après avoir mis en rage maître Grippe-Sou en le faisant danser au milieu des ronces.

A propos de ronces, tes roses vont bien. Il y en a qui sont finies pour la saison, elles ont explosé comme des feux d'artifice – mais en douceur, sans bruit. Elles t'attendent, maman, et tes delphiniums aussi. Patiemment. Pourquoi se presser ? *La musique se dépêche d'aller nulle part, oui, à cette vitesse !* Voilà ce qu'elle me disait, babouchka, quand je jouais trop vite. *Il y a un tempo juste, et un seul*, elle disait.

MAYA

Il fait froid ici, je trouve. Ils ont mis l'air conditionné trop fort, des stalactites vont bientôt commencer à me pousser aux doigts et au nez... Tu n'as pas envie qu'on parte ensemble dans un pays chaud, toutes les deux ? On pourrait aller en Inde, par exemple... ou aux Antilles... ou aux Antilles-podes... Les antilles-podes et les arthro-podes s'en vont en bateau...

Tu ne ris toujours pas, maman ?

Ça veut dire quoi au juste, *podes* ? Tiens, je t'ai apporté un dictionnaire aujourd'hui. Tous les mots se trouvent là-dedans, on n'a qu'à les chercher. Regarde. *Je t'en prie, accroche-toi, regarde !*

Voyons, pod... pod... *podophtalme : qui a les yeux placés en haut d'un pédoncule.* Ah oui d'accord je vois, Benjamin m'a parlé d'une mouche de la Nouvelle-Guinée, le quelque chose Rothschild ça s'appelait. Les mâles ils ont les yeux pédonculés aussi longs que leur corps et ils essaient de se faire peur avec, ceux qui ont les pédoncules courts sont terrorisés par ceux qui ont les pédoncules longs, dès qu'ils les voient arriver ils prennent leurs pattes à leur cou et déguerpissent... C'est fou ce qu'ils peuvent être bêtes les hommes, tu trouves pas ?

Tu entends, mamotchka ? Tu m'entends quand je te parle ? Tu es là, n'est-ce pas ? Tu vas vivre, n'est-ce pas ?

Voyons… Tu sais ce que ça veut dire, *coquecigrue* ? Eh bien, c'est un mélange de coq, de cigogne et de grue… Même les choses qui n'existent pas sont dans le dictionnaire… On pourrait en inventer d'autres… Le chachicheu par exemple, croisement entre le chat, le chien et le cheval ! Non, c'est pas très bon… Attends… Ça y est, j'ai trouvé ! Le moulipa, croisement de moustique, de libellule et de papillon ! Ça, c'est pas mal. Le moulipa. Je l'adopte… Je suis ta petite moulipa qui t'adore.

Maman… Réveille-toi s'il te plaît… Je sais que tu ne dors pas mais réveille-toi, je n'en peux plus de te voir comme ça, parle-moi, j'ai besoin de toi, regarde-moi, reviens, je t'en supplie… *réveille-toi !!*

DR FABIEN

"Comment ça va aujourd'hui, madame Mestral ?… J'ai une bonne nouvelle à vous annoncer : sauf imprévu, votre fille est tirée d'affaire. Elle est arrivée à terme plus quinze jours, elle pèse un bon poids, et elle coordonne à merveille les trois fonctions : la succion, la déglutition et la respiration.

— Moulipa…

— Moulipa ? Je croyais que son nom était Maya… Toujours est-il qu'à partir d'aujourd'hui, elle devrait pouvoir vivre normalement. Je dois vous avouer que je ne m'y attendais pas. Si elle s'est accrochée à la vie comme une forcenée, c'est en grande partie grâce à vous, grâce à votre présence constante à ses côtés, et à l'appel que vous avez su lui faire entendre. Je peux maintenant vous dire que dans ces circonstances, peu de mères ont cette force-là.

Je vous félicite, madame Mestral. Vous pouvez ramener votre bébé à la maison en toute confiance."

FIN

«un endroit où aller»

Une collection dirigée par Françoise et Hubert Nyssen

1. Alice Ferney
L'ÉLÉGANCE DES VEUVES
2. Tecia Werbowski
LE MUR ENTRE NOUS
3. Ossip Mandelstam
LE TIMBRE ÉGYPTIEN
4. André Sarcq
LA GUENILLE
5. Brassaï
HISTOIRE DE MARIE
6. Jack London
CONSTRUIRE UN FEU
7. Michel Butor
STRAVINSKY AU PIANO
8. Jean-Louis Cornille
LA HAINE DES LETTRES
9. Robin Chapman
LE JOURNAL DE LA DUCHESSE
10. Marisa Volpi
CAVALIER SANS DESTIN
11. Claire Fourier
MÉTRO CIEL
12. Charles Bertin
LA PETITE DAME EN SON JARDIN DE BRUGES
13. Fabienne Pasquet
L'OMBRE DE BAUDELAIRE
14. Anne Walter
LA LEÇON D'ÉCRITURE
15. Guichardin
LES *RICORDI*
16. Eric Rohmer
DE MOZART EN BEETHOVEN
17. Comte de Gobineau
MADEMOISELLE IRNOIS
18. Nancy Huston
INSTRUMENTS DES TÉNÈBRES
19. Pier Paolo Pasolini
POÈMES OUBLIÉS
20. Dina Rubina
LE DOUBLE NOM DE FAMILLE

21. Eva Figes
SPECTRES

22. Myriam Champigny Cohen
LE LIVRE DE MON PÈRE
suivi de
LES LETTRES DE MA MÈRE

23. Nina Berberova
NABOKOV ET SA LOLITA

24. Dina Rubina
LES POMMES DU JARDIN DE SCHLITZBUTER

25. Henrik Pontoppidan
LE VISITEUR ROYAL

26. Anna Maria Ortese
LÀ OÙ LE TEMPS EST UN AUTRE

27. Assia Djebar
ORAN, LANGUE MORTE

28. André-Louis Rouquier
LA NUIT DE L'OUBLI

29. Françoise de Gruson
BASSES BRANCHES

30. Robert Lafont
LE COQ ET L'OC

31. Jean Duvignaud
B.-K. (BAROQUE ET KITSCH)

32. Joe Brainard
I REMEMBER

33. Tecia Werbowski
L'OBLOMOVA

34. Alice Ferney
GRÂCE ET DÉNUEMENT

35. Assia Djebar
LES NUITS DE STRASBOURG

36. Sixma van Heemstra
AMOURAMORT

37. Michel Butor
POUR TOURNER LA PAGE

38. Jean-Pierre Miquel
PROPOS SUR LA TRAGÉDIE

39. Arnaldo Calveyra
L'HOMME DU LUXEMBOURG

40. Anne-Marie Garat
L'AMOUR DE LOIN

41. François-Bernard Michel
JUDITH

42. Rosie Delpuech
INSOMNIA
43. Luc de Heusch
MÉMOIRE, MON BEAU NAVIRE
44. Hubert Nyssen
LE BONHEUR DE L'IMPOSTURE
45. William Shakespeare
LE ROI LEAR
46. Marcel Moreau
LA VIE DE JÉJU
47. Philippe de la Genardière
LE TOMBEAU DE SAMSON
48. Lesley Blanch
ROMAIN, UN REGARD PARTICULIER
49. Montaigne
DES LIVRES
50. Nancy Huston
L'EMPREINTE DE L'ANGE
51. Anne Walter
LES RENDEZ-VOUS D'ORSAY
52. Pierre Gascar
LE TRANSSIBÉRIEN
53. Pierre Gascar
AÏSSÉ
54. André Dubus
VENDRE SA PROSE
55. Siri Hustvedt
YONDER
56. Nadine Ribault
UN CAILLOU A LA MER
57. Rose-Marie Pagnard
DANS LA FORÊT LA MORT S'AMUSE
58. Tecia Werbowski
HÔTEL POLSKI
59. Gwenaëlle Aubry
LE DIABLE DÉTACHEUR
60. Myriam Antaki
LES VERSETS DU PARDON
61. Agathe Rouart-Valéry
CRAYONS
62. Pierre Aubé
JÉRUSALEM 1099
63. Grace Elizabeth King
BAYOU L'OMBRE
64. Nancy Huston
PRODIGE

OUVRAGE RÉALISÉ
PAR L'ATELIER GRAPHIQUE ACTES SUD
REPRODUIT ET ACHEVÉ D'IMPRIMER
SUR ROTO-PAGE
EN AVRIL 1999
PAR L'IMPRIMERIE FLOCH
A MAYENNE
SUR PAPIER DES
PAPETERIES DE JEAND'HEURS
POUR LE COMPTE DES ÉDITIONS
ACTES SUD
LE MÉJAN
PLACE NINA-BERBEROVA
13200 ARLES

DÉPÔT LÉGAL
1re ÉDITION : MAI 1999
N° impr. : 45959
(Imprimé en France)